Evoluția începe de la cunoașterea de sine. Prin lectură, pornim într-o călătorie înspre sine, pentru ca apoi să găsim starea de împăcare și echilibrul interior. *Introspectiv* își propune să ofere cititorului cărți-reper din domeniile spiritualității, psihologiei și dezvoltării personale.

Dr. Tim Cantopher

CUM SĂ FACEM FAȚĂ PERSOANELOR TOXICE

Cele mai bune strategii recomandate de psihologi pentru gestionarea relației cu cei care ne secătuiesc de energie

Traducere din limba engleză de
Andreea Rosemarie Lutic

LITERA
București
2020

Toxic People
Dealing with Dysfunctional Relationships
Dr. Tim Cantopher

Toxic People a fost publicată pentru prima dată în 2017
Traducere publicată prin înțelegere cu The Society
for Promoting Christian Knowledge, Londra, Anglia

INTROSPECTIV®

Introspectiv este o divizie a Grupului Editorial Litera
O.P. 53; C.P. 212, sector 4, București, România
tel. 021 319 6390; 031 425 1619; 0752 548 372

Cum să facem față persoanelor toxice
Cele mai bune strategii recomandate de psihologi pentru
gestionarea relației cu cei care ne secătuiesc de energie

Dr. Tim Cantopher

Editor: Vidrașcu și fiii
Redactor: Ramona Ciortescu
Corector: Sabrina Florescu
Copertă: Ana-Maria Gordin Marinescu
Tehnoredactare și prepress: Ana Vârtosu

Descrierea CIP a Bibliotecii Naționale a României
CANTOPHER, TIM
Cum să facem față persoanelor toxice. Cele mai bune strategii recomandate de psihologi pentru gestionarea relației cu cei care ne secătuiesc de energie / dr. Tim Cantopher;
trad. din lb. engleză de Andreea Rosemarie Lutic. –
București: Litera, 2019

ISBN 978-606-33-3397-2

I. Lutic, Andreea Rosemarie (trad.)

159.9

CUPRINS

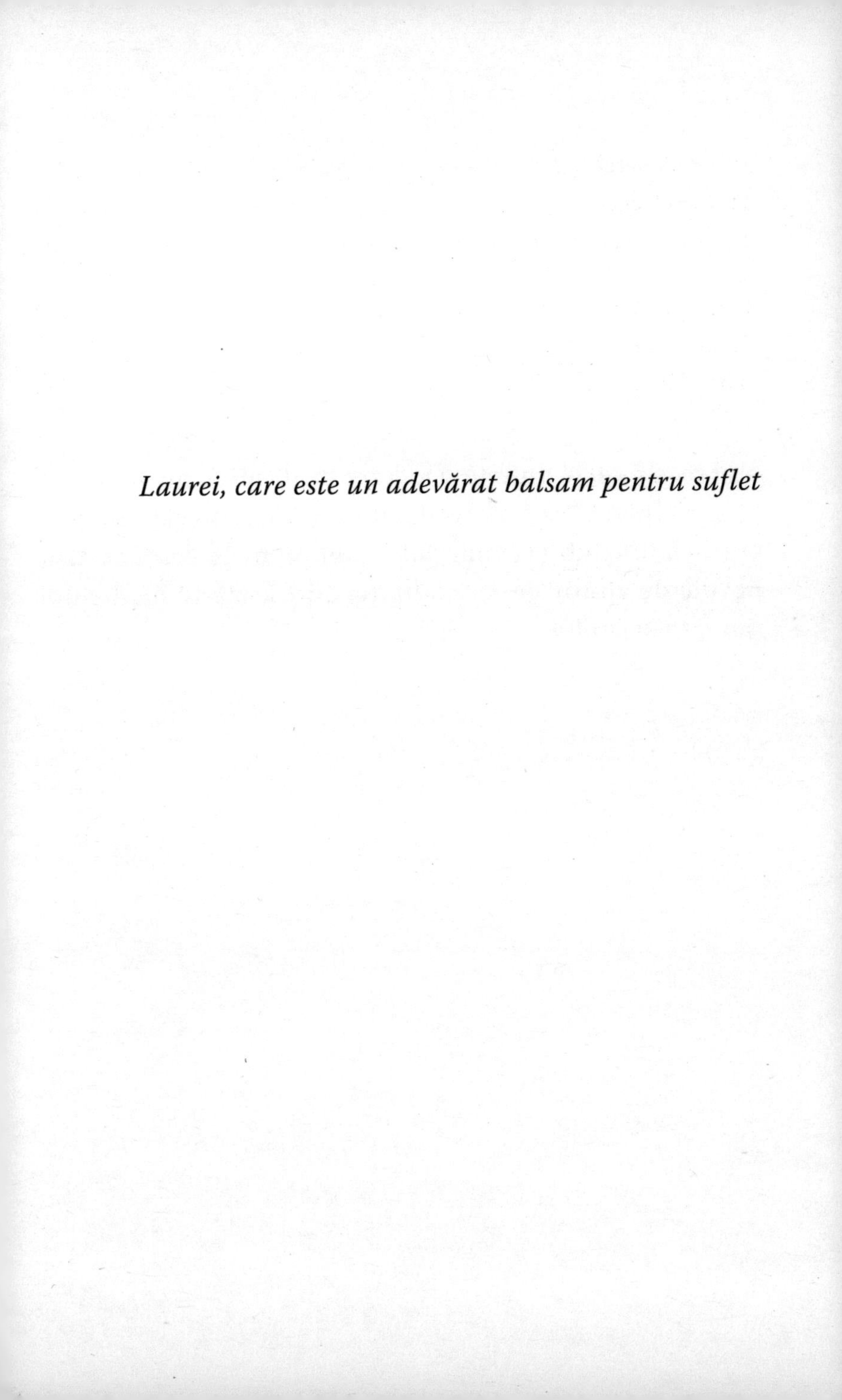

Laurei, care este un adevărat balsam pentru suflet

Această carte nu este o lucrare medicală și nu are drept scop să înlocuiască sfaturile unui medic. În cazul în care crezi că prezinți vreunul dintre simptomele descrise și ai nevoie de ajutor de specialitate, adresează-te medicului sau farmacistului.

MULȚUMIRI

Le sunt recunoscător dr. Loretta Rittenhouse, pentru opiniile și sugestiile ei utile, soției mele, Laura, pentru corectură și fiindcă mi-a sugerat nume potrivite pentru personajele din carte, echipei de la Sheldon, pentru răbdarea și entuziasmul cu care m-au sprijinit, Royal Society of Medicine, pentru condițiile excelente din biblioteca lor, și domnului Donald Trump, întrucât reprezintă un exemplu atât de bun în ce privește aproximativ toate personalitățile descrise în Capitolul 4.

INTRODUCERE

„Nu, nu pot. Sincer vorbind, chiar n-am timp. Trebuie s-o duc pe mama la spital, apoi să rezolv niște treburi pentru soțul meu, după care să pregătesc cina."

Helen nu-și vede capul de treburi, iar prietena ei, Anita, nu-i ușurează deloc situația, deoarece spera că Helen va avea grijă de băiatul ei de 5 ani, în timp ce ea și soțul ei vor petrece seara în oraș.

„Bine, dacă mama și soțul tău sunt mai importanți decât mine, asta e. Dar să știi că sunt surprinsă; credeam că vei fi dispusă să-ți ajuți cea mai bună prietenă, după tot ce am făcut pentru tine. Ar trebui să ai o discuție serioasă cu mama ta și să nu te mai lași călcată în picioare tot timpul de bărbatul ăla al tău."

Helen încercase deja să scape de mama ei, oferindu-se să-i comande un taxi care s-o ducă la spital și înapoi, dar aceasta nici nu voise să audă. „E regretabil că o mamă nu poate apela la fiica ei în asemenea momente, în special când e bolnavă. Oricum voi muri în curând, așa că nu vei mai fi nevoită să-ți faci griji pentru mine. Până atunci, mă aștept să-ți faci datoria. Ține minte: când nu voi mai fi, o să-ți pară rău și-ți vei dori să fi făcut mai multe pentru mine."

Sfârșitul discuției.

Helen nici măcar nu va încerca să stea de vorbă cu soțul ei, Edward, ca să o lase în pace cu pretențiile lui. Fiind principalul susținător al familiei, se așteaptă ca acasă să primească totul de-a gata. Oricum, își urăște soacra, iar pe Anita nu o place deloc.

Ironia sorții... Mama lui Helen n-a prea avut grijă de ea în copilărie. O preocupa mai mult să se simtă importantă, să fie văzută făcând fapte bune și să fie centrul atenției în sat. Acum se așteaptă ca Helen să facă pentru ea lucruri pe care ea, ca mamă, nu s-a simțit niciodată obligată să le facă. Același lucru e valabil și cazul Anitei. În realitate, Anita nu face nimic pentru Helen, dar se așteaptă ca aceasta să-i fie recunoscătoare pentru că i-a permis accesul în cercul ei social, să-i fie îndatorată și să-și plătească datoriile în mod regulat fiind mereu la dispoziția ei. Dacă Helen este preșul de la ușă, Anita este cea care-și șterge cel mai des picioarele.

Dacă stă să se gândească mai bine, Edward e la fel. Acasă, nu face decât să bea, să doarmă și să se uite la emisiuni sportive. Este mulțumit deoarece, ca manager de nivel mediu, îi oferă lui Helen o viață confortabilă și se așteaptă ca ea să-și facă partea de treabă, conformându-se la ceea ce i se spune și având grijă ca acasă totul să meargă bine. Iar asta înseamnă, printre altele, să nu fie cumva indisponibilă fiindcă este la dispoziția altcuiva.

Așadar, ca întotdeauna, Helen se pune pe treabă. Se ocupă de toate cumpărăturile, comisioanele și treburile necesare, sare peste masa de prânz, o duce la timp pe mama ei la spital, în sala de așteptare aranjează toate chitanțele, își duce mama acasă, îi face o cană de ceai și îi pregătește cina, căutând totodată s-o încurajeze cât mai mult, în pofida cunoștințelor ei medicale limitate. Reușește să ajungă la timp s-o ia pe fiica ei, Ethel, de la școală, să meargă la Anita, să-l ducă pe fiul acesteia la ea acasă, să-i dea mai întâi lui de mâncare, apoi fiicei sale (nu au aceleași preferințe și cu siguranță fiica sa de 10 ani nu va lua masa la aceeași oră cu un copil având jumătate din vârsta ei). Îl instalează pe băiețel în dormitorul liber, dar acesta adoarme mai greu, deoarece nu este obișnuit cu noul mediu. Apoi pregătește cina pentru Edward. Helen nu mănâncă cine știe ce; n-are timp.

Apoi o sună Edward să-i spună că întârzie. Asta înseamnă că Helen trebuie s-o țină pe Ethel trează până târziu, ca s-o ia cu ea când vine momentul să-l ducă acasă pe băiatul Anitei.

Anita e supărată pe Helen fiindcă a uitat jucăria preferată a băiatului. Edward vine acasă și mama lui Helen o sună când e plecată. Amândoi sunt furioși fiindcă și-a ținut fiica trează după ora 10 în timpul săptămânii.

Când Helen obosește și se îmbolnăvește, nu are parte de nici un pic de compasiune, ci doar de reproșurile celor pe care nu-i mai poate servi așa cum s-au obișnuit.

Helen este o prizonieră. O parte dintre persoanele din preajma ei sunt toxice. Această carte se adresează lui Helen și celor ca ea. Închisoarea lui Helen este propria ei creație. Gratiile celulei n-au fost construite de Anita, de mama sau de soțul lui Helen, ci de ea însăși. Iar ușa nu este încuiată. Helen trebuie doar să învețe cum să pășească în afara celulei.

Acesta este scopul cărții de față. Helen se poate elibera dacă învață să identifice persoanele toxice, să le evite pe cât posibil și, în celelalte situații, să le facă față într-un mod sănătos. Sunt mulți ca Helen, înconjurați de personaje de toate felurile, unele manifestându-se mai subtil decât cele din această introducere, însă rezultatul este același. În majoritatea cazurilor, mii de pacienți care au intrat în cabinetul meu sufereau de boli legate de stres, iar de cele mai multe ori problema principală o constituiau alte persoane. Există metode mai bune și mai sănătoase de a interacționa cu acești indivizi, metode care nu presupun neapărat să-ți părăsești soțul, să renunți la creștinism (dacă aceasta este religia ta) sau să nu-ți mai pese de ceilalți.

Am scris această carte deoarece în cărțile de dezvoltare personală specializate n-am găsit nimic util în asemenea situații. Există numeroase lucrări despre sociopați (psihopați) și alte tulburări severe de personalitate, dar nu și despre persoanele care prezintă doar într-o mică măsură asemenea trăsături și cu care, pur și simplu, e dificil de interacționat. S-au scris multe despre efectele abuzului și ale neglijării, dar nu și despre lipsa de bunăvoință în viața de zi cu zi, despre jocurile psihologice și despre insensibilitate, care te poate îmbolnăvi dacă nu iei măsuri.

Acesta este rolul paginilor care urmează. Sper că te vor ajuta să-ți reconstruiești viața într-una mai bună, mai sănătoasă și mai fericită. Te sfătuiesc să nu iei ad-litteram tot ce citești. Nici o carte nu poate descrie exact toate situațiile sau nuanțele cu care te confrunți, dar sper că vei găsi câteva puncte de reper utile. Dacă ai îndoieli, mai bine cere-i ajutorul unui profesionist în loc să urmezi întocmai sfaturile mele sau ale altcuiva.

Deși felul în care descriu anumite tipuri de persoane poate lăsa impresia că le critic, nu aceasta a fost intenția mea. Oamenii sunt așa cum sunt din motive bine întemeiate, majoritatea având legătură cu educația lor, așa că n-are rost să-i învinovățești. De tine depinde să găsești modalitățile de a fi fericit și sănătos; nu te baza că ceilalți te vor proteja. Dar te rog să mă crezi că viața e mai bună în afara închisorii în care te afli.

Notă: detaliile anumitor incidente descrise în carte și numele celor implicați au fost modificate, pentru a le păstra anonimatul.

PARTEA I

Cum funcționează oamenii

1

Oameni

Trezește-te!

Îmi pare rău, poate că a sunat cam agresiv. Te rog, trezește-te! Așa e mai bine.

Cei mai mulți dintre noi au tendința de a trăi precum niște somnambuli; rareori iau decizii conștiente în legătură cu ceea ce vor sau cu viața pe care o doresc. Reacționăm la împrejurări și la așteptările pe care le au ceilalți de la noi. Toate bune și frumoase dacă aceștia sunt binevoitori, grijulii și viața cooperează cu noi, dar nu mai e la fel de bine dacă viața devine ostilă sau cei din jurul nostru nu sunt prea generoși. Problema este că oamenii care tind să-i pună pe ceilalți pe primul plan sunt deseori înconjurați de profitori. Adevărul este că oamenii sunt, în general, buni, deși fiecare are momentele sale „dificile". Există însă și câteva persoane care nu sunt binevoitoare deloc și de-a lungul anilor își formează niște abilități ce le permit să-i identifice pe cei pe care-i pot folosi și abuza. Prin urmare, aceia dintre noi care rătăcesc prin viață încercând să le facă plăcere celor din jur tind să fie înconjurați de astfel de indivizi. De aceea ajung să creadă fie că majoritatea oamenilor sunt răi, fie că totul se petrece din vina lor. Au impresia că oamenii se poartă urât cu ei întrucât nu sunt suficient de buni. Iar atunci se străduiesc și mai mult să le facă tuturor pe plac.

Greșit! Ce trebuie să faci este să privești dincolo de acești profitori care te înconjoară. Pentru a reuși, este necesar să afli ce vrei cu adevărat de la viață și să înțelegi comportamentul oamenilor, pentru a-ți crea o strategie. Prin urmare, haide să examinăm aceste chestiuni.

Următoarele trei capitole conțin foarte multe informații. Dacă nu te interesează psihologia personală și socială, s-ar putea să ți se pară derutant și mai degrabă neclar, dar te rog să ai răbdare. Pentru a învăța cum să interacționezi mai bine cu oamenii, este esențial să te descurci mai bine în fața lor. Faptele și teoria care alcătuiesc aceste capitole reprezintă un fundament necesar pentru restul cărții. Cred că dacă îți ofer o parte dintre cunoștințele teoretice despre comportamentul uman pe care le posedă sociologii, terapeuții, psihologii și psihiatrii, vei învăța cum să te descurci mult mai bine cu oamenii și situațiile pe care le întâlnești. Dacă am dreptate, după ce parcurgi aceste capitole, restul cărții va fi destul de redundant.

Odată ce înțelegi de ce se comportă oamenii așa cum o fac, nu mai ai nevoie de nimeni care să-ți spună cum să interacționezi cu ei, devine evident. Vom vedea asta în continuare.

Ce urmează reprezintă doar câteva fragmente din ceea ce cred eu că este relevant în contextul cărții de față, preluate din cărți de specialitate, așadar, te rog să mă ierți dacă am uitat vreun aspect pe care tu îl consideri important.

Ce este personalitatea și cum se formează ea?

Pentru a interacționa cu oamenii, este esențial să le înțelegi personalitatea. Personalitatea se definește prin acțiuni. De pildă, când spunem că o persoană are o personalitate extrovertită, înseamnă (în termeni simpli) că persoana respectivă interacționează des cu alți oameni.

Trăsăturile personalității sunt dimensionale. De exemplu, conștiința, bunătatea și generozitatea sunt trăsături pe care le dețin, într-o oarecare măsură, majoritatea oamenilor, dar nimeni nu este pe deplin bun și generos tot timpul cu toată lumea. Trăsăturile noastre prezic destul de bine, însă nu cu precizie cum reacționăm într-o situație sau față de o persoană. Libertatea de a alege în mod conștient cum răspundem unei persoane sau când ne confruntăm cu un eveniment depinde de ceea ce se întâmplă, de starea noastră mentală și de rezonanțele pe care le trăim (vezi pagina 26). Suntem mai mult decât impulsurile noastre, însă doar dacă alegem asta în mod activ. Dacă nu alegi să te schimbi, vei reacționa întotdeauna la fel de previzibil față de oamenii care ți-au făcut rău sau cu care te-ai identificat în trecut. A fi o victimă a persoanelor toxice provoacă dependență. Helen, despre care am discutat în introducerea cărții, va trebui să facă niște schimbări dificile în stilul ei de viață dacă-și dorește să trăiască mai bine.

Personalitatea se formează prin intermediul experiențelor, mai ales al celor trăite în copilărie. Modul în care o persoană gândește, simte și acționează este determinat, într-o anumită măsură, de factorii genetici, însă reprezintă mai curând produsul experiențelor sale. Modelarea permanentă a naturii unei persoane de către experiențele trăite poartă numele de psihodinamică. Freud și nenumărați psihanaliști s-au concentrat asupra factorilor psihodinamici ce stau la baza comportamentului uman, în special factorii care apar în copilărie, prin interacțiunile copiilor cu părinții lor.

Totuși, conform specialiștilor în știința comportamentală, comportamentul uman se bazează în principal pe condiționare. Se prezintă sub două forme: condiționarea clasică și condiționarea operantă. În cazul condiționării clasice, un stimul este asociat cu un răspuns un timp suficient de îndelungat pentru ca primul să-l declanșeze pe al doilea. Dacă îți amintești experimentul cu câinii lui Pavlov, acesta suna dintr-un clopoțel de fiecare dată când le aducea carne. La început, câinii salivau la vederea și mirosul cărnii, dar în cele din urmă au ajuns să saliveze la simplul auz al clopoțelului, indiferent dacă li se dădea sau nu carne. Au fost condiționați să saliveze la sunetul clopoțelului. Același tip de reacție îl regăsim la o persoană care a fost martoră la un schimb de focuri și, ca urmare, tresare de fiecare dată când aude un zgomot puternic.

În cazul condiționării operante, asocierea unei recompense sau lipsa acesteia cu o acțiune mărește frecvența cu care este realizată acțiunea respectivă. De exemplu, un copil primește o stea de fiecare dată când se poartă frumos, dar steaua îi este luată dacă are un comportament nepotrivit, ceea ce îl determină în timp să-și îmbunătățească purtarea. În cazul ambelor forme de condiționare, se manifestă fenomenul extincției: dacă se renunță la asocierea celor doi stimuli asociați inițial sau dacă recompensa nu mai este asociată cu comportamentul dorit, în cele din urmă răspunsul se estompează. Așadar, dacă nu mai aduci carne când sună clopoțelul, în cele din urmă câinele nu va mai saliva, persoana traumatizată nu va mai reacționa atât de puternic și copilul care nu este recompensat în mod constant pentru bună purtare va renunța la comportamentul adecvat. Dacă însă continui sau reiei asocierea ori acordarea de recompense, răspunsul crește (este consolidat).

De curând, psihologii au recunoscut influența gândirii și a comportamentelor asupra modului în care se simte și funcționează o persoană. Un individ poate fi recompensat, schimbându-și astfel comportamentul, pur și simplu prin schimbarea modului de gândire. Dacă de fiecare dată când vorbești cu cineva te critici pentru că nu ești destul de inteligent, nu prea sunt șanse să ajungi vreodată un maestru al interacțiunilor sociale. Pe de altă parte, dacă nu te mai judeci, dacă te concentrezi asupra lucrurilor frumoase pe care le spune o persoană și savurezi părțile interesante ale conversației, recompensele psihologice pe care ți le oferă această experiență te ajută ca pe viitor să te implici mai mult în interacțiunile cu oamenii. Modul în care gândești este foarte important și stă la baza terapiei cognitiv-comportamentale (TCC), care constituie un tratament extrem de eficient pentru o mulțime de probleme.

Personalitatea nu este un lucru prestabilit. Se poate schimba în funcție de situațiile cu care te confrunți în diferite medii, de experiențele din cursul vieții și, pur și simplu, cu trecerea timpului. La serviciu eram o cu totul altă persoană decât cea de acasă. Anumite persoane care au suferit traumatisme cerebrale au suferit și o schimbare drastică a personalității.

În orice caz, personalitatea este în ochii privitorului și identificarea ei impune o judecată de valoare. Persoana cu care interacționezi este hotărâtă sau agresivă? Onestă sau lipsită de tact? Sinceră sau rea? Problema este că asemenea evaluări le fac, în general, cei care n-au nevoie de ele și mai rar persoanele vulnerabile, care chiar ar trebui să-i evalueze mai critic pe cei cu care au de-a face pentru a-și îmbunătăți situația. Acestea simt că, într-un fel, nu merită să aibă acest privilegiu.

De obicei, e o idee bună să investim mai mult timp în a ne înțelege pe noi înșine decât în a-i judeca pe alții. Oamenii tind să înflorească când știu ce simt, ce vor și ce au nevoie – și când viața lor e congruentă cu aceste aspecte. Eu ador spațiul, apa și vremea bună și mă simt bine cu mine însumi. Viața mea (sunt pensionar și trăiesc lângă Charleston, în SUA, vizavi de un râu și un ținut mlăștinos) este potrivită acestor trăsături și nevoi, iar asta îmi permite să prosper. Dar cum în toate e nevoie de echilibru, deși mi-ar fi foarte ușor să trăiesc precum un pustnic, mă implic în interacțiuni sociale.

Când ai de-a face cu persoane și situații toxice, e important să știi de ce ai nevoie pentru a înflori și să decizi cum îți poți echilibra nevoile și problemele cu care te confrunți.

Pentru a decide cum vrem să trăim, trebuie să vedem în ce măsură scopurile noastre sunt rezonabile. În același timp, e important să nu ne lăsăm înrobiți de cei cu convingeri foarte ferme. De-a lungul vieții am înțeles că fermitatea părerilor tinde să fie invers proporțională cu înțelepciunea. La o vârstă înaintată, Descartes a scris: „Iată-mă aici, relativ singur, și, în sfârșit, mă voi dedica sincer și fără rezerve demolării generale a propriilor opinii". Poate ai ceva de învățat din asta.

Identificare

Acțiunile care îi fac pe alții să sufere ne trezesc furie sau resentimente, în timp ce faptele bune ne trezesc recunoștința și admirația, chiar dacă nu ne influențează în mod direct. Motivul este acela că ne identificăm cu obiectul acelor acțiuni. Oamenii n-ar trebui să facă rău, n-ar trebui să fie așa. De ce? De ce ar trebui să fie ca tine și să aibă aceleași valori? Răspunsul este că ne identificăm cu alții, mai ales cu cei similari nouă, și, ca urmare, lucrurile și oamenii care-i afectează pe ei ne afectează și pe noi.

În realitate, cei mai mulți dintre noi tind mai întâi să acționeze și abia apoi să gândească. Facem diverse lucruri, după care fabricăm motive întemeiate pentru acțiunile noastre, dând crezare propriilor raționamente false. În cadrul unui experiment, subiecților li s-a cerut să miște un deget la intervale aleatorii. Conform măsurătorilor undelor cerebrale, căile motorii asociate cu mișcarea degetului au fost activate cu mult înainte ca subiecții să conștientizeze decizia de a mișca degetul. E posibil ca intențiile noastre să nu fie la fel de „bune" cum ni se par, întrucât multe dintre acțiunile noastre au fost decise înainte de a deveni conștienți de ce am ales să facem.

Dacă aceste lucruri par derutante, chiar așa sunt, cel puțin pentru mine. Ideea principală pe care vreau să ți-o transmit este că de obicei nu ne ajută cu nimic să judecăm corectitudinea sau culpabilitatea celorlalți. Dar e nevoie să-i înțelegem pe oameni, motivațiile și acțiunile lor probabile, mai ales pe cei care nu prea ne vor binele. Apoi putem decide ce strategii să folosim pentru a nu fi afectați de ei. Dacă înoți într-o piscină toxică, poartă un echipament adecvat și nu înghiți apă.

Rezonanță, intenție, putere și pedeapsă

Majoritatea faptelor „rele“ (însă nu cele comise de un psihopat sau un sadic) vin dintr-un sentiment de slăbiciune. În general, oamenii fac lucruri care provoacă suferință altora întrucât se simt neputincioși în fața unui agresor mai puternic. Persoana care se simte dezavantajată și atacă are impresia că se luptă pentru libertate, în timp ce victima ei rămâne perplexă. „Eu nu te-am atacat, de ce-mi faci asta?“, se lamentează ea. Însă pierde din vedere faptul că toți îi reprezentăm pe ceilalți, prin fenomenul rezonanței. Rezonanța constituie modul în care percepem în prezent toate situațiile și persoanele în raport cu experiențele noastre anterioare. În realitate, nu tu ești atacat de femeia furioasă, ci tatăl ei decedat de multă vreme sau patria despre care i s-a spus că a făurit nenorocul poporului ei. Știu, asta nu te încălzește prea mult când ești atacat verbal sau fizic, dar a înțelege că fiecare are motivațiile și experiențele sale te poate ajuta să realizezi că, în mare măsură, ce ți se întâmplă n-are de fapt nici o legătură cu tine. A înțelege situația celorlalți te poate ajuta să interacționezi cu ei mult mai eficient.

Cred că e destul de greu de stabilit ce e „bine“ și ce e „rău“. Pe măsură ce înaintez în vârstă, îmi dau seama că majoritatea situațiilor au două fețe și nu pot fi sigur de nimic. Cred că siguranța se naște adesea din ignoranță, în cel mai bun caz, și din răutate, în cel mai nefericit.

Există o diferență între intenție și rezultat, iar dacă emitem judecăți în funcție de faptele unei persoane, e posibil să greșim. Oare un psihopat care ucide o sută de teroriști este o persoană mai bună decât cel care ucide o mamă care alăptează? Pentru el n-are nici o importanță; pur și simplu ucide ce e în fața lui.

Și dacă efectele acțiunilor unei persoane diferă de ce a intenționat? Avem tendința de a crede că lucrurile rele trebuie să aibă o cauză. Prin urmare, cineva trebuie să fie de vină și merită pedepsit. Politicienii noștri, care vor să ne convingă de capacitatea lor de a îndrepta lucrurile, încurajează această credință. În realitate, este o prostie. Uneori, pur și simplu se întâmplă lucruri rele, oricât am încerca să le evitam. Dacă pedepsim greșelile pentru a nu mai exista probleme, singurul efect ar fi că persoanele care încearcă sincer să facă ce cred că e bine vor fi paralizate de frică. Totuși, nici psihopații, care n-au conștiință, nu învață din experiențe. Prin urmare, pedepsele nu ajută nici în cazul celor incapabili de compasiune față de ceilalți, nici în cazul celor care au prea multă. (Acest lucru este reprezentat grafic în Figura 1.) Sunt de ajutor doar în cazul celor aflați undeva la mijloc. Și-atunci ce rost are să-i pedepsim pe alții sau chiar să-i învinovățim? Ce rost au conștiința și vinovăția? Se pare că persoanele care au cele mai multe motive să se simtă vinovate nu simt nici cea mai mică urmă de vinovăție, și invers.

Poate găsirea unor vinovați pentru problemele apărute îi ajută pe ceilalți să se simtă mai bine. Oare? Atunci haide să revenim la biciuirile în public.

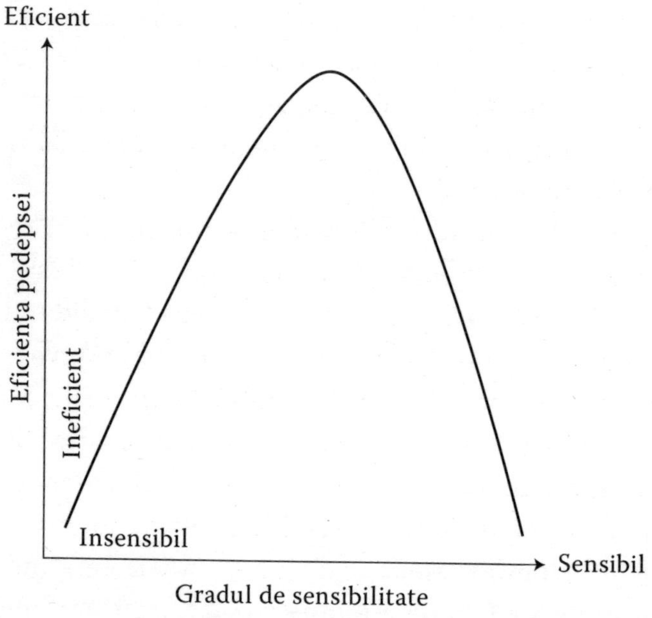

Figura 1. Eficiența pedepsei comparativ cu cea a sensibilității.

Cea mai bună definiție a „răului" pe care am găsit-o este următoarea: disponibilitatea de a cauza suferință × putere. Însă eu provin dintr-o cultură creștină. Sunt conștient că, în multe alte culturi și religii, a face pe cineva să sufere nu este considerat ceva rău. Dacă ar fi să-i pedepsim pe oameni în funcție de gradul de răutate, ar trebui să-i închidem pe 90% dintre politicieni și probabil să-i și lovim puțin, să se învețe minte.

Dacă nu are rost să pedepsim greșelile, oare răutatea intenționată ar trebui pedepsită? În caz contrar, cum rămâne cu dreptatea? Ce este de fapt dreptatea? Care este delimitarea dintre dreptate și răzbunare?

Sunt întrebări dificile, iar răspunsurile depind de modul în care privești lucrurile. Hărțuitorul furios care își persecută fosta iubită are impresia că își face dreptate, deoarece l-a părăsit nepăsătoare. Avem tendința de a ne simți mai bine dacă pierderea sau suferința cauzată în mod deliberat, nouă sau celor apropiați, este răsplătită cu o suferință pe măsură provocată persoanei vinovate. Însă răzbunarea e o sabie cu două tăișuri. Dacă suntem de acord cu ea, și alții vor fi de acord să se răzbune pe noi dacă au impresia că i-am rănit.

Diversitate

Unii oameni sunt ciudați, cel puțin din perspectiva noastră individuală.

Nu sunt normali, ceea ce înseamnă că nu sunt ca noi sau așa cum ne-am dori să fie. Dar, după cum au arătat specialiștii în neuroștiințe Ronald de Sousa și Douglas Heinrichs în lucrarea lor din 2010, „Oare o lovitură genială a neuroștiinței va putea elimina vreodată răul?", dacă toți strămoșii noștri ar fi fost normali, am fi încă niște bacterii.

În realitate, cu cât îi judecăm mai mult pe ceilalți, cu atât viața noastră devine mai complicată și mai nesatisfăcătoare. Când îi evaluăm pe alții, din punctul meu de vedere, nu merită să luăm în considerare moralitatea. Firește, este foarte important să duci ceea ce tu consideri o viață morală. Dar, pe cât posibil, nu decide cum „ar trebui" să se poarte alții. E prea complicat și depinde prea mult de propria ta perspectivă. Teroristul inspirat de religia sa consideră că acțiunile sale sunt juste, însă rezultatele lor sunt aceleași precum cele ale izbucnirilor aleatorii de cruzime ale unui psihopat care nu dă doi bani pe ce este bine și ce este rău. Primul simte că „trebuie" să comită atrocități, iar al doilea nici nu înțelege ce înseamnă „trebuie". Este mai eficient să înțelegi persoana care te afectează decât s-o judeci, deoarece asta îți permite să iei cea mai bună decizie cu privire la ce este de făcut (în cele două exemple de mai sus, ideal ar fi să fugi cât te țin picioarele). Poți judeca cum să abordezi diverse comportamente, însă n-are sens să judeci oamenii. Vei vedea că ia naștere un laitmotiv – și nu-mi cer scuze că mă repet. Conform celor ilustrate în Figura 2, gândirea strategică mărește eficiența de-a lungul vieții, însă timpul pe care-l petrecem simțindu-ne furioși și agresați de alții o reduce.

Prin urmare, acceptă că fiecare este altfel. Din perspectiva mea, arta navigării în viață (așa-numitul „lifemanship", definit în anii 1950 de autorul Stephen Potter drept „arta de a scăpa nepedepsit fără să fii o catastrofă absolută") înseamnă a-ți croi drumul prin oceanul diferitelor personalități pe care le întâlnești fără a avea așteptări să fie ca tine sau să adere la aceleași valori ca tine.

$$\text{Eficiența} = \frac{\text{Nivelul de strategie}}{\text{Numărul judecăților de valoare emise cu privire la alții}}$$

Figura 2. Eficiența de-a lungul vieții

Atitudini

În general, ne alegem atitudinile în copilărie și acestea tind să persiste pe parcursul vieții, deși, dacă suntem suficient de deschiși, e posibil ca viața să ne schimbe.

Atitudinile au trei componente: trăiri, convingeri și comportamente caracteristice. De obicei, se presupune că ne revoltăm împotriva părinților noștri și a atitudinilor acestora, dar, în realitate, deseori se întâmplă exact contrariul: copiii tind să-și oglindească părinții pe măsură ce cresc. Avem tendința de a simți la fel ca părinții noștri și de a nutri aceleași convingeri de ansamblu despre lume și despre ceilalți oameni, deși aceste trăiri și convingeri se pot schimba, într-o oarecare măsură, sub influența normelor sociale (de pildă, din fericire, în ziua de azi există mult mai puțină discriminare în general decât pe vremea părinților mei). De asemenea, e posibil să ne comportăm într-un mod foarte asemănător cu cel în care reacționau părinții noștri în anumite situații. S-ar putea ca în unele privințe să avem sentimente contradictorii, dar, în ultimă instanță, tindem să reacționăm la diverse tipuri de oameni și situații în moduri care ar fi putut fi prevăzute înainte de a ne naște. Suntem îngrozitor de previzibili!

Atribuire

Oricât am fi de înțelegători și oricât de mult am încerca să nu-i judecăm pe ceilalți, ceea ce simțim în legătură cu noi înșine și cu cei din jurul nostru se bazează pe atitudinile noastre, care au fost adoptate, în mare măsură, în copilărie. Ar fi minunat dacă toate atitudinile și deciziile noastre ar fi logice, dar în realitate multe dintre ele nu sunt așa. Avem tendința să facem atribuiri greșite. Atribuirea înseamnă a considera că un lucru are o anumită cauză. Permite-mi să-ți explic.

Mulți oameni tind să pună lucrurile negative care li se întâmplă altora pe seama gândurilor, comportamentelor sau intențiilor acestora, și nu pe seama împrejurărilor exterioare, dar în ce îi privește pe ei înșiși, au o cu totul altă părere, făcând atribuiri care le servesc propriile interese. De pildă: „Am picat la examen fiindcă a fost nedrept", dar „A picat la examen fiindcă n-a învățat destul". Succesul meu se datorează eforturilor mele, dar eșecul meu este cauzat de împrejurări adverse. În ceea ce te privește pe tine, lucrurile stau exact pe dos.

În schimb, oamenii predispuși la depresie au tendința de a se subevalua, supraevaluându-i în schimb pe ceilalți. Linda, o mamă singură care se luptă să-și întrețină cei trei copii mici, o dă drept exemplu pe una dintre mamele de la școala copiilor ei, care lucrează, este implicată într-o organizație de caritate și pe deasupra este întotdeauna drăguță și bine îmbrăcată. Ea trece cu vederea că această femeie are o armată întreagă de ajutoare atât la lucru, cât și acasă, iar asta îi permite să arate atât de bine. Linda se consideră banală, neputincioasă și lipsită de orice talent, când de fapt se descurcă de minune în îndeplinirea responsabilităților sale.

Majoritatea oamenilor tind să facă atribuiri care servesc propriilor interese, însă cei la care această tendință este cel mai puțin pronunțată, fără a se ajunge la autodenigrare (adică oamenii care sunt realiști în ceea ce-i privește pe ei și pe ceilalți), au deseori succes, în timp ce aceia la care tendința este extrem de pronunțată sunt oameni toxici.

Centrul controlului

Acest termen vizează dacă tu controlezi mediul înconjurător sau dacă mediul te controlează pe tine. La dependenți, inclusiv la alcoolici, acest centru al controlului este de obicei exterior până la recuperarea completă. Prin urmare, dacă un pacient alcoolic nu mai bea de o săptămână și nu urmează o altă terapie, l-aș putea întreba: „N-o să mai bei?“ În general, va răspunde ceva de genul: „Voi încerca, dar depinde de soția mea. Dacă va continua să se poarte cu mine la fel ca până acum, probabil va trebui să beau un pahar ca să fac față“.

Controlul asupra propriului viitor depinde în întregime de soție, cel puțin în mintea lui. Mai devreme sau mai târziu (probabil mai devreme), se va reapuca de băut, deoarece în cazul lui centrul controlului se află în exterior.

În schimb, cineva care a muncit din greu pentru a se recupera, poate urmând o terapie și cu ajutor din partea organizației Alcoolicilor Anonimi, va da următorul răspuns: „Va fi greu. Eu și soția mea nu ne înțelegem întotdeauna, iar asta mă poate afecta. Așa că o să mă duc de trei ori pe săptămână la întâlnirile Alcoolicilor Anonimi, voi continua terapia, îmi voi lua un consilier și o să-l sun să mă ajute dacă simt că sunt în pericol". El își controlează mediul pentru a-și oferi maximum de șanse de recuperare. În cazul lui, centrul controlului se află în interior.

Centrul controlului este un factor crucial, care determină succesul sau eșecul relațiilor. De asemenea, s-a demonstrat că relocarea sa în interior constituie cea mai importantă schimbare produsă prin psihoterapie. Te rog să mă crezi, este de preferat ca la persoanele apropiate centrul controlului să se afle în interior, altminteri vei descoperi că depind în permanență de tine și te învinovățesc ori de câte ori dau greș sau au o problemă. Este important ca și la tine centrul controlului să fie în interior, mai ales dacă ai persoane toxice în preajmă și nu-ți dorești să devii un simplu instrument la dispoziția lor.

Disonanța cognitivă

Disonanța cognitivă reprezintă diferența dintre situația reală și cum ți-ai dori să fie aceasta în mod ideal. Poate fi vorba despre lume în general, despre alți oameni sau despre tine. Desenul de la pagina următoare a apărut deja în câteva dintre cărțile mele și ilustrează foarte bine acest lucru. Tipul din figură lucrează cu greutăți, crezând că dacă perseverează va ajunge să arate ca Mr. Univers și femeile îl vor considera atrăgător. Dar nu-i adevărat. Mai bine renunță. Ești doar un slăbănog care are șanse mai mari să ajungă pe Lună decât să arate vreodată ca Mr. Univers. Dacă vei continua, s-ar putea să faci o întindere musculară. Dar ești un tip încântător, extrem de inteligent, cu o personalitate încântătoare și cu simțul umorului. Lasă jos greutățile și acceptă-te așa cum ești. Altfel spus, încearcă să reduci disonanța cognitivă.

Din păcate, după cum am explicat, oamenii au tendința de a persista în convingerile lor. De multe ori nu acceptăm realitatea, chiar și atunci când ne privește în față. Pentru a rezolva disonanța cognitivă, căutăm să eliminăm cognițiile disonante (omulețul nostru refuză să dea ascultare celor care-l avertizează că va avea probleme dacă va continua să ridice greutăți). Sau le banalizăm ori minimizăm (Bill îmi spune să nu mai lucrez cu greutăți, dar cine se crede? Parcă el ar fi cine știe ce exemplar masculin!). Sau adăugăm o a treia cogniție pentru a le neutraliza pe celelalte (toți culturiștii muncesc din greu ani la rând pentru a-și atinge scopurile; în cele din urmă voi reuși).

Acest lucru explică de ce se suportă oamenii toxici pe ei înșiși. Aud mereu lucruri precum: „Cum poate fi așa? E îngrozitor de agresiv. Cum se suportă?" Răspunsul este că folosește una dintre aceste trei manevre pentru a se convinge pe sine că este în regulă. Foarte puțini oameni oribili chiar se consideră oribili (deși există excepții – vezi „Narcisiști" la pagina 89). Dacă o persoană nu acceptă niciodată criticile și deseori îi atacă pe autorii acestora, probabil este toxică. Ai grijă.

Acest lucru ne oferă totodată un indiciu cu privire la modul în care putem schimba comportamentul unei persoane toxice, încercând să-i adâncim disonanța cognitivă: folosim strategia, nu furia.

O variantă ar fi să reducem propria disonanță cu ajutorul gândurilor neutralizatoare (nu-i chiar atât de rău, seful meu e un nemernic, dar mă plătește bine). Mai multe detalii în Capitolul 9.

Semnificație

Psihoterapeutul Viktor Frankl a fost un supraviețuitor al lagărelor naziste. În extraordinara sa carte *Omul în căutarea sensului vieții* (vezi Lecturi suplimentare pentru detalii despre toate cărțile pe care le menționez), el subliniază că diferența dintre oamenii care au supraviețuit, atât fizic, cât și emoțional, și cei care și-au găsit sfârșitul în acel mediu extrem de toxic a fost faptul că primii au găsit un sens în experiența și suferința lor. Ca urmare, Frankl a creat o formă de psihoterapie (numită „logoterapie") bazată pe premisa că a găsi un sens în viață este esențial pentru sănătatea noastră fizică și psihică.

N-are sens să căutăm fericirea, spune Frankl, întrucât ea vine și pleacă, dar dacă oamenii pot da existenței lor un înțeles real, atunci au șanse mari să-și croiască drumul prin apele toxice ale vieții fără a se scufunda. Sunt convins că avea dreptate, însă aș adăuga că semnificația pe care o găsești trebuie să fie bazată pe o alegere, nu pe slujirea celor care îți cer supunere. Mama lui Helen (vezi Introducerea) constituie principalul sens al vieții ei, dar nu prin alegere. Adevăratul sens al existenței lui Helen este să nu-și nemulțumească mama, cu toate că și-ar dori să nu fie așa. Nu are de ales; este sclava propriei mame.

Proiecție

Acesta este un mecanism mental prezent într-o măsură mai mare la unii decât la alții și reprezintă un mod de a gestiona conflictele interioare. A proiecta înseamnă a atribui altcuiva un aspect al propriei persoane pe care-l considerăm rușinos sau intolerabil și apoi să îl atacăm. Astfel, unele persoane homofobe agresive sunt confuze în ceea ce privește propria sexualitate și li se pare că această confuzie intră în contradicție cu impresia lor că sexul trebuie să fie ceva clar, iar oamenii ar trebui să fie „normali". Atacând identitatea sexuală a celorlalți, se simt mai bine în propria piele. Rasiștii caută să-și depășească sentimentul de inferioritate afirmând că rasa lor e superioară altora; misoginii fac același lucru denigrând femeile, iar extremiștii religioși, urându-i pe cei de altă credință. Sunt șanse bune ca persoana care te învinovățește să se simtă vinovată și slabă. În acest caz, ea își proiectează asupra ta ura față de propria persoană doar pentru a se simți mai bine.

În cazuri extreme, proiecția se transformă în paranoia, o formă de psihoză în care persoana se crede persecutată. Însă mai frecvente sunt situațiile în care cineva se înfurie, se înroșește la față, își încleștează pumnii și exclamă: „De ce ești împotriva mea?" E o situație dificilă și, uneori, chiar înfricoșătoare, deoarece e greu să comunici cu cineva care te atacă atunci când nu știi cum sau de ce i-ai stârnit furia (vezi mai sus Rezonanța).

Aceștia sunt câțiva dintre factorii care influențează comportamentul unei persoane. În continuare vom discuta despre grupuri.

2

Grupuri și familii

Printre indivizi, nebunia este o raritate, dar în grupuri, partide, popoare și epoci, constituie o regulă.

FRIEDRICH NIETZSCHE

Oamenii se comportă într-un anumit fel la nivel individual, dar în cadrul unui grup sunt influențați de o altă dinamică. Comportamentul unui om într-o interacțiune față în față poate fi foarte diferit de comportamentul său într-un grup și, de asemenea, diferit în grupuri de diverse tipuri și mărimi. Acest capitol prezintă ce anume influențează comportamentul de grup și cum se comportă indivizii în grupuri și în familie – grupul din care provine copilul. Am menționat deja pe scurt ce influență au părinții și comportamentul din copilărie asupra personalității unui individ, iar în acest capitol voi dezvolta subiectul.

Oamenii în grupuri

Chiar dacă știi să interacționezi cu oamenii la nivel individual, în cazul grupurilor este cu totul altă poveste. Înțelegerea dinamicii de grup ne ajută foarte mult să interacționăm în cadrul grupurilor.

Cei mai mulți dintre noi au empatie față de sentimentele celorlalți și sunt înzestrați cu capacitatea de a crea și a menține relații, într-o măsură mai mică sau mai mare, însă doar dacă în copilărie au avut cel puțin câteva experiențe care i-au învățat asta. Dacă am avut de-a face numai cu manifestări imprevizibile de violență, cruzime, egoism și exploatare, este puțin probabil ca la vârsta adultă să ne pese cu adevărat de alții. În majoritatea cazurilor, copilăria noastră nu a fost perfectă, ceea ce, în aparență, nu ne afectează prea mult, dar pentru a face față cu succes solicitărilor sociale la maturitate, trebuie să fi avut parte de iubire, granițe, îndrumare morală și afirmare.

Există dovezi solide că echilibrul dintre experiențele sociale pozitive și cele negative din copilărie stabilește pentru totdeauna nivelul de activare al anumitor fibre nervoase din creier. Acestea alcătuiesc așa-numita *axă hipotalamus – glandă pituitară* (pe scurt, HPA) și *sistemul limbic*. În esență, HPA este un termostat care ne definește nivelul emoțional; sistemul limbic controlează, printre altele, starea de spirit, comportându-se asemenea unei siguranțe electrice când se simte copleșit. Experiențele negative din copilărie activează HPA, făcându-ne să reacționăm exagerat la experiențele sociale negative și reducând adaptabilitatea siguranței limbice. Uneori, părinții sunt răspunzători pentru multe probleme.

Dacă nu ne-am confruntat cu mari neplăceri în copilărie, comportamentul nostru în grupuri este în bună măsură previzibil. În grupuri mari, oamenii tind să se bazeze unii pe alții. Într-un joc precum lupta cu odgonul, cu cât numărul de membri al unei echipe este mai mare, cu atât fiecare dintre ei depune mai puțin efort. Totuși, aprobarea celorlalți ne ajută să ne îmbunătățim. Susținerea mărește performanțele echipelor sportive.

Dacă membrii unui grup colaborează, adică fiecare dintre ei își aduce contribuția, grupul poate obține performanțe mai bune decât orice individ în situații ce impun luarea unor decizii. Testul de supraviețuire în deșert, atât de îndrăgit de trainerii din management, implică un scenariu în care membrii grupului tău sunt singurii supraviețuitori după prăbușirea în pustiu a avionului în care se aflau. Trebuie să decizi ce lucruri salvezi din avionul în flăcări, înainte ca acesta să explodeze, și în ce ordine. Mai întâi răspunde individual, apoi, după o discuție, ca un grup. Răspunsurile voastre sunt comparate cu cele ale unui expert în supraviețuire. În mod invariabil, exercițiul demonstrează că grupul oferă răspunsuri mai bune decât fiecare dintre membrii săi.

În schimb, în grupuri, opiniile și deciziile capătă adesea o tentă extremă. Un grup tinde să ia decizii mai riscante (sau mai îndrăznețe, depinde cum privești lucrurile) decât un individ, mai ales când membrii grupului nu se cunosc între ei.

Dar indivizii tind să-și schimbe comportamentul și convingerile pentru a se conforma majorității. Deseori, asta înseamnă să se conformeze membrului din grup cu cea mai puternică personalitate (deși, după cum voi arăta, nu întotdeauna se întâmplă așa).

Oamenii au tendința de a respecta autoritatea. Într-un studiu realizat în anii 1960 la Universitatea Yale, subiecții au fost invitați să aplice șocuri electrice unor „victime" la indicațiile unui profesor în halat alb cu o mapă. Subiecții nu știau că victimele erau de fapt niște actori și dispozitivul folosit pentru administrarea „șocurilor" nu era real. Două treimi dintre subiecți au continuat, la comandă, să administreze șocuri de până la 450 de volți, un nivel indicat de dispozitiv ca fiind mai mult decât periculos și marcat cu „XXX", chiar dacă victimele manifestau un disconfort tot mai puternic și, în cele din urmă, își pierdeau cunoștința. Atât bărbații, cât și femeile s-au conformat în egală măsură.

Interesant este că nivelul de obediență al subiecților a scăzut la mai puțin de jumătate într-o clădire mai puțin impunătoare și la mai puțin de un sfert atunci când profesorul se afla într-o altă cameră sau persoana în halat alb nu era profesor, ci un om obișnuit. Dacă subiecții au văzut că un alt subiect refuza să administreze șocuri, nivelul de obediență a scăzut cu o cincime, iar dacă au văzut doi subiecți care sfidau autoritatea, cu două treimi.

Oare rezultatele ar fi fost aceleași dacă studiul ar fi fost efectuat în Marea Britanie? Nu știu, dar e evident că rebelii joacă un rol crucial în societate. Sau, după cum a spus Edmund Burke: „Pentru ca răul să triumfe, este suficient ca oamenii buni să nu facă nimic".

Într-un alt studiu, realizat la Universitatea Stanford, un grup de voluntari au fost împărțiți în „prizonieri" și „paznici". Cu timpul, paznicii au devenit tot mai brutali cu prizonierii și din ce în ce mai dispuși să-i umilească. Este limpede că rolul social determină comportamentul (cu excepția cazului în care ceva sau cineva împiedică asta).

Într-o tabără de vară din Oklahoma, niște băieți de 11 ani care nu se cunoșteau dinainte au fost studiați timp de câteva săptămâni. S-au format rapid grupuri cu o identitate puternică și un grad de coeziune ridicat, mai ales când au fost organizate activități comune, precum concursurile sportive. Competiția dintre grupuri a condus la ostilitate, dar când grupurile au fost nevoite să lucreze împreună pentru a rezolva anumite sarcini, conflictele s-au redus, iar nivelul de colaborare și înțelegere a crescut.

Însă simplul act de a-i împărți pe băieți în grupuri a dus la discriminare. Ideea centrală era: „Grupul meu este mai bun și membrii lui sunt buni, în timp ce toate celelalte grupuri sunt rele". Orice diferență tindea să fie amplificată; altfel spus, băieții dintr-un grup îi percepeau pe cei din celelalte grupuri ca fiind mai diferiți decât ei și aveau șanse mai mari să fie în competiție cu ei decât înainte de formarea grupurilor. Băieții au început curând să se definească în funcție de apartenența la un grup („Sunt bun deoarece grupul meu este bun"). Cu cât resursele s-au diminuat, cu atât s-au iscat mai multe conflicte între grupuri.

Aceste fenomene nu sunt specifice băieților. Uită-te doar la ce se întâmplă cu suporterii sportivi. Și gândește-te la istoria recentă luând în considerare aceste idei despre comportamentul grupurilor. Mă întreb de ceva vreme de ce rezidenții din Carolina de Sud par mult mai prietenoși decât cei din Surrey, unde locuiam înainte. Motivul pare să fie acela că Carolina de Sud are cam aceeași suprafață ca Anglia, dar sub

10% din populația Angliei. Concurența pentru spațiu este mult mai mică. Introdu un grup de șobolani într-un spațiu de mărimea unei case și vor coopera pentru hrană. Pune-i într-o cutie înghesuită și se vor mânca unii pe alții.

În cazul grupurilor, un comportament anarhic și dur nu este inevitabil, dar constituie ceva obișnuit. Mulți oameni sunt capabili de altruism și empatie. Acestea sunt programate în noi asemenea unor impulsuri sociobiologice necesare pentru a păstra linia genetică. Dar pentru ca altruismul să predomine, trebuie să rezistăm tentației de a-i eticheta, ignora sau disprețui pe cei pe care-i percepem altfel decât noi.

Prejudecăți și stigmate

Suntem o specie tribală. Avem o tendință înnăscută de a ne împărți în „noi" și „ei", după cum am văzut mai sus. Prin urmare, toți avem prejudecăți, doar dacă nu alegem în mod conștient să renunțăm la ele. Altfel spus, îi judecăm mai puțin favorabil pe cei care nu fac parte din grupul nostru.

Principala metodă de a reduce prejudecățile este interacțiunea. Oamenii care interacționează între ei în mod regulat tind să nu-i mai judece pe ceilalți, însă chiar și atunci doar în anumite condiții. Acestea sunt: statut egal (nu o relație precum cea dintre stăpân și servitor), un motiv pentru a coopera, sprijin pentru această cooperare din partea autorității și ambele grupuri să accepte că prieteniile dintre membrii lor sunt în regulă. Cât de des sunt îndeplinite toate aceste condiții? Destul de rar; iată de ce se dezvoltă prejudecățile.

Societăților și indivizilor din cadrul acestora le este mai ușor să-și afirme valoarea când se compară cu grupul lor. Au tendința de a-i stigmatiza pe alții pentru a se simți mai bine în propria piele.

Cuvântul „stigmat" vine din greaca veche și desemnează marcajul aplicat unui sclav pentru a-i indica apartenența, subordonarea și inferioritatea. Așadar, stigmatizarea implică recunoașterea altora ca fiind diferiți și, prin urmare, inferiori. Odată ce a fost atribuit statutul de „celălalt", apare frica. Dacă nu înțelegem pe cineva, este posibil să ne fie frică de el și să presupunem că are intenții rele. Prin urmare, îl excludem, îl evităm, nu-i oferim ajutor și încercăm să-l controlăm. Dacă are noroc, îi arătăm bunăvoință și interes, dar nu de la egal la egal, ci pentru a menține controlul.

Prejudecățile și stigmatizarea sunt extrem de răspândite. Din experiența mea, multe persoane țin enorm la prejudecățile lor. Dacă încerci să determini pe cineva să renunțe la prejudecățile sale, va încerca să-ți facă rău. Oricine ai fi, te vei confrunta cu prejudecăți, numai dacă nu ești foarte hotărât și vigilent, le vei cultiva. Asta înseamnă discriminare. Asta suntem, mai puțin când nu suntem noi înșine.

Țapul ispășitor

Și ideea de țap ispășitor a apărut pentru prima dată în literatura din Grecia antică. Atunci când recoltele nu creșteau sau lovea ciuma, se presupunea că zeii s-au supărat pe oameni din cauza păcatelor acestora. Soluția convenabilă era să arunce toată vina comunității în cârca unui biet țap care apoi era alungat în deșert ca să moară de foame; acest lucru îi îmbuna pe zei și toată lumea era fericită. Ideea a prins și, de-a lungul timpului, a reprezentat una dintre principalele metode de a face față nenorocirilor, ți-ar spune asta orice istoric.

Observ acest obicei foarte des și în familiile disfuncționale. Țapul ispășitor, care adesea suferă de o boală mentală sau o dependență, este învinuit de toate problemele din familie. Laitmotivul este: „Nu noi suntem problema, ci el și dependența lui. Dacă n-ar fi el, totul ar fi bine". Ceilalți membri ai familiei își ascund problemele și deficiențele în spatele acestui paravan pe care îl reprezintă țapul ispășitor.

E mult mai ușor să dăm vina pe altcineva, pe un alt grup, o altă religie sau rasă decât să ne asumăm responsabilitatea pentru viața și eșecurile noastre. Problema țapului ispășitor este foarte dificil de abordat, din aceleași motive pentru care prejudecățile și stigmatele sunt atât de populare.

Jocuri

Acesta este un concept creat de Eric Berne, autorul cărții *Games People Play*, și reprezintă punctul central al analizei tranzacționale, o formă de psihoterapie destinată cuplurilor și grupurilor. Citește cartea dacă ești interesat. Nu este voluminoasă și constituie o lectură excelentă, mai ales în a doua parte, care descrie „jocurile" propriu-zise.

Berne consideră că relațiile de orice tip există pe trei niveluri și în două moduri diferite. În primul rând, o persoană dintr-o relație ocupă poziția de părinte, adult sau copil. Dacă vorbim despre o fiică de 10 ani și mama ei, nu e nici o problemă, presupunând că acestea își acceptă rolurile de părinte, respectiv copil, dar altfel stau lucrurile în cazul unui cuplu căsătorit. De pildă, dacă lui Jane îi place să dețină controlul și îl tratează pe soțul ei, Jim, ca pe un copil, relația lor poate funcționa dacă lui Jim îi convine poziția de copil lipsit de orice responsabilitate, pentru care ia decizii soția. Însă dacă Jim vrea o relație de la adult la adult, bazată pe respect reciproc, responsabilitate și alegeri de ambele părți, conflictele sunt inevitabile. Relațiile cele mai bune dintre adulți sunt cele de tipul adult–adult, dar și relațiile părinte–copil pot fi stabile dacă ambele părți sunt de acord. Nu este vorba despre o înțelegere verbală, deoarece nu sună prea bine să accepți că: „Îmi place să fiu copil, așa că îmi las soția să fie părintele". Pur și simplu se întâmplă. Figurile 3 și 4 ilustrează această dinamică.

Ambele relații sunt „paralele" și, prin urmare, potențial stabile.

Figura 5 prezintă situația în care Jim vrea o relație adult–adult, însă Jane vrea să-i fie părinte. Relația este „încrucișată", adică este instabilă. Vor ieși scântei.

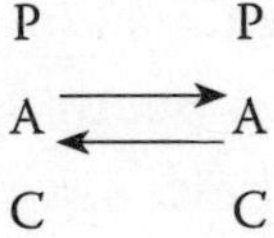

Figura 3. Relația adult–adult

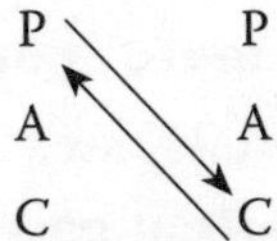

Figura 4. Relația părinte–copil

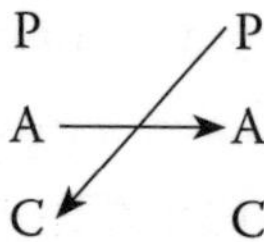

Figura 5. Relație încrucișată

Al doilea mod de existență a relațiilor pe trei niveluri se referă la apropiere. Primul nivel este reprezentat de spontaneitate și intimitate. Spontaneitatea înseamnă să spui ce crezi când vrei; nu păstrezi în tine sau reprimi emoții și probleme. Intimitatea înseamnă apropiere emoțională. De asemenea, poate implica apropiere fizică, în funcție de relații, dar acum ne vom concentra pe emoții.

Relațiile spontane și intime sunt excelente, în contextul potrivit, dar nu sunt întotdeauna adecvate. Dacă, prima oară când ne-am întâlni, aș începe să te îmbrățișez și să te sărut, probabil ți-aș confirma ce ai crezut întotdeauna despre psihiatri – că sunt niște indivizi tare ciudați. Un asemenea comportament este prea spontan și intim pentru situația respectivă. Însă dacă, atunci când mă întorc acasă m-aș apropia de soția mea, i-aș întinde mâna și i-aș spune: „Bună seara, doamnă, mă bucur să vă cunosc“, s-ar gândi cu siguranță că lipsește ceva din căsnicia noastră. Salutul meu ar fi o formalitate, un ritual, adecvat la prima întâlnire, dar în cazul unei relații deja formate, implică o distanță emoțională prea mare. Formalitatea înseamnă o anumită distanță emoțională, iar ritualul este un ansamblu recomandat de cuvinte și/sau gesturi menite să facă interacțiunea previzibilă și sigură, implicând totodată lipsa de ostilitate și de intenții rele. Strângerea de mână arată că nu ascunzi vreun pumnal, la propriu sau metaforic.

Există relații, chiar între soț și soție, care (fiind paralele) par relativ stabile la acest nivel, deși nu reprezintă chiar idealul în care aș vrea să-mi trăiesc viața. Îți dau ca exemplu un pacient de-al meu care, când l-am întrebat despre căsnicia lui, mi-a răspuns următoarele:

„E bine."

„Dar în scrisoarea de trimitere medicul mi-a spus că nu vorbiți cu soția dvs."

„Nu, nu vorbim."

„Când ați vorbit ultima dată cu soția?"

„Acum trei ani."

Aparent, omul era mulțumit de lipsa comunicării maritale, atâta vreme cât primea de mâncare și treburile casnice erau îndeplinite. Ce avea de câștigat soția lui nu știu. Nu era prea dornic să-mi facă cunoștință cu ea, probabil ca să nu perturb stabilitatea relației lor formalizate și ritualizate.

Dar dacă până și o relație formalizată și ritualizată ajunge să se destrame? Poate fi vorba de o relație încrucișată sau e posibil ca starea de fapt să fie amenințată de ceva sau cineva. Deseori, familia, prietenii sau alte persoane încep să comenteze sau să critice relația. „Eu nu mi-aș lăsa soția să se poarte așa cu mine, John. Chiar ești un papă-lapte? Vino-ți în fire, omule!" Sau o sumedenie de alte lucruri ce amenință statu-quoul unei relații imperfecte.

Atunci intervine nivelul cel mai de jos al relațiilor (vezi Figura 6), care se bazează pe „jocuri".

În acest context, jocurile nu constituie o modalitate amuzantă de a pierde timpul, ci un ansamblu ascuns de acțiuni menite să pună sau să mențină victima într-o poziție pe care nu ar ocupa-o în mod voluntar. Fiecare joc îi oferă inițiatorului una sau mai multe „recompense", anumite avantaje care îl determină să joace în continuare.

Iată un exemplu referitor la mama lui Helen din introducere. Aceasta insistă ca Helen să o ducă personal la spital, deși fiica ei este copleșită de alte responsabilități. Nu o poate obliga fizic, dar amintindu-i lui Helen vârsta ei și speranța de viață limitată, introduce în joc, drept pedeapsă pentru nesupunere, un nivel de vinovăție pe care știe că Helen nu-l poate accepta. Nu o spune direct, dar ideea este: „Dacă nu faci cum vreau eu, ești o fiică rea și o persoană rea". Recompensele pe care mama lui Helen le primește sunt: putere și control asupra fiicei ei, prioritate în raport cu soțul și prietenele lui Helen, compania lui Helen fără nevoia de a-i oferi ceva în schimb și economie de bani.

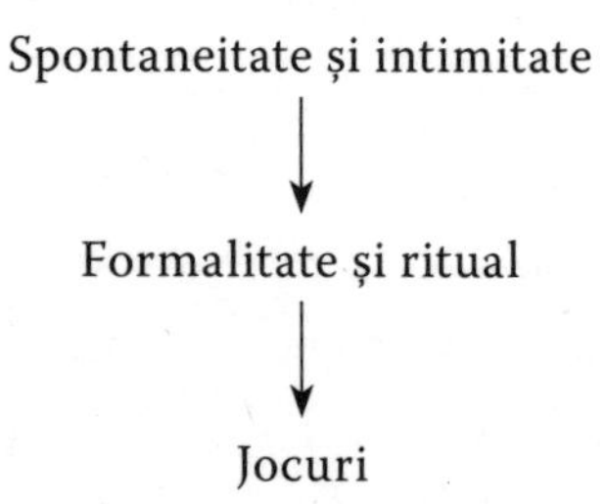

Figura 6. Cele trei niveluri ale relațiilor

O variantă de joc a fost denumită „gaslighting", după filmul din 1944 – *Gaslight* [Lumina de gaz]. Acesta este jucat adesea de persoane cu puternice trăsături psihopate sau narcisiste și implică încercări repetate de a dezorienta și a deruta victima pentru ca aceasta să se supună voinței jucătorului. Acesta neagă fapte, abuzuri anterioare și alte evenimente, punând totodată la îndoială memoria, trăirile sau sănătatea mentală a victimei. Mama lui Helen îi amintește acesteia că promisese să o ducă la spital (fals), iar Helen l-ar fi auzit pe medic spunând că mama trebuia însoțită în cursul vizitei (ceea ce nu se întâmplase). Inoculându-i astfel, puțin câte puțin, amintiri false, mama lui Helen o convinge că nu se poate baza pe memoria și judecata proprie, deci trebuie să se conformeze mamei.

Majoritatea relațiilor implică, ocazional, jocuri. Orice persoană înzestrată fie și doar cu un dram de inteligență are tendința de a manipula puțin când se teme de ceva, când e obosită sau nefericită. Acest lucru nu constituie o problemă dacă în alte situații există spontaneitate, intimitate, bunăvoință și dăruire. Dar când întreaga relație se bazează pe jocuri sau reprezintă forma preferată de interacțiune cu ceilalți, apar probleme – cu excepția cazului în care apare „antiteza", o manevră concepută de victimă care îl împiedică pe jucător să obțină recompense. Vom vorbi mai mult despre antiteze în Capitolul 10.

Neajutorarea învățată

Privită din afară, copilăria lui Helen părea în regulă. Părinții ei i-au oferit o casă confortabilă și o educație corespunzătoare; o hrăneau și o îmbrăcau bine. Aveau o poziție importantă în comunitate și toată lumea îi admira. Însă au uitat un singur lucru, și anume să-i arate lui Helen că este apreciată. Într-adevăr, deseori o ignorau întrucât erau prea ocupați încercând să fie importanți. Helen putea să fie obraznică deoarece atenția părinților era îndreptată în altă parte, dar aceștia nu-i remarcau nici realizările.

Uneori, părinții ei o pedepseau când nu făcea nimic rău, iar alteori obrăzniciile ei treceau neobservate. Cu timpul, a învățat că: „Orice aș face e totuna. Indiferent dacă mi se întâmplă lucruri bune sau rele, nu pot face nimic pentru a le schimba. Nu am nici o influență asupra lumii".

Într-o asemenea situație, există două posibilități. Helen poate alege să depună eforturi într-o anumită direcție, cum ar fi să le facă pe plac celorlalți, ajungând să se priceapă atât de bine la asta, încât să-și asume acest rol în lumea ei și în lumea celor din jur. Acesta devine tiparul și sensul vieții ei. Sau poate să renunțe și să se transforme într-un receptor pasiv al plângerilor și ordinelor celorlalți. În ambele cazuri, riscul de a fi folosită și abuzată de alții este foarte mare.

A învăța pe cineva să fie pasiv poartă numele de „neajutorare învățată". Este dificil de indus o asemenea stare unui adult sănătos care până atunci era eficient și independent, dar nu imposibil. Torționarii din timpul dictaturilor din întreaga lume sunt învățați cum să facă asta. Complet la întâmplare, uneori își torturează prizonierii, iar alteori îi hrănesc și se poartă frumos cu ei. Cu timpul, victimele învață că: „Indiferent ce aș face, nu pot schimba nimic. Nu am nici o putere". Acest lucru nu este ușor de obținut; este nevoie de torturi sau abuzuri prelungite asupra unei persoane care se simțea înainte capabilă să-și controleze viața. Dar e ușor în cazul unui copil. Tot ce trebuie să faci în calitate de părinte (sau, în mai mică măsură, în calitate de profesor) este să nu îl înveți pe copil legile cauzei și efectului – să nu-i arăți că poate influența lumea din jurul lui, că acțiunile lui contează.

Atașament și abandon

Ne atașăm de alții încă din primele zile de viață. Primul și cel mai important atașament format este față de mamă. Și tații devin importanți, însă puțin mai târziu. Dacă părinții tăi fac o treabă bună, înveți că te poți baza pe atașamentul față de ei. Părinții vor fi mereu acolo și, chiar dacă ești pedepsit fiindcă ai făcut ceva rău, te vor iubi mereu. Acest atașament reprezintă baza tuturor celorlalte atașamente care iau naștere în timpul vieții, precum cele față de prieteni, iubiți/iubite, parteneri de viață și copii.

Părinții nu trebuie să fie perfecți; de fapt, este mai bine dacă nu sunt. Un studiu celebru realizat pe insula Wight, unde m-am născut și am crescut (eu nu m-am numărat printre subiecți), a supravegheat până la maturitate aproape toți copiii născuți în decurs de un an. Acest lucru a fost posibil deoarece multe persoane născute acolo nu-și părăsesc niciodată locul natal. Cercetătorii căutau să determine factorii care aveau cea mai mare influență asupra sănătății emoționale a copiilor.

Deloc surprinzător, principalul factor pe care l-au descoperit a fost mama, deși aveau și tații importanța lor. Surprinzător a fost faptul că subiecții care au ajuns să se bucure de cea mai bună sănătate emoțională nu erau cei cu mame perfecte. Aceste mame sunt întotdeauna alături de copiii lor, îi iubesc întotdeauna, nu sunt niciodată irascibile și nu-i abandonează în fața televizorului; perfecte. Însă lumea reală e altfel, iar copiii acestor „mame perfecte" au ajuns să se confrunte cu dificultăți, singurătate și răutatea celorlalți. Firește, copiii ai căror mame îi neglijau, îi abuzau ori se confruntau cu diverse dependențe aveau problemele lor. Dar copiii care s-au descurcat cel mai bine au fost cei cu mame „destul de bune". De obicei, acestea erau afectuoase, atente și consecvente, dar mai greșeau din când în când. Uneori, când erau obosite, își puneau copiii în fața televizorului. Se mai enervau din când în când, dar recunoșteau asta în fața copiilor. Cei mici au învățat diferența dintre situația în care mama era nervoasă fiindcă era obosită și cea în care mama se supăra fiindcă ei făcuseră ceva rău. Știau întotdeauna că sunt iubiți și până la urmă totul va fi bine. Prin urmare, nu trebuie să fii un părinte perfect, ci doar unul suficient de bun.

Dar ce putem spune despre copiii ai căror părinți sunt absenți, abuzivi, alcoolici sau pe care nu te poți baza? Aceștia nu reușesc să creeze atașamente sigure, nu doar cu părinții lor, dar nici cu alte persoane pe care le întâlnesc de-a lungul vieții. Atașamentele lor sunt marcate de nesiguranță, anxietate și neputință. Acești oameni tind să dea greș în relații din diverse motive, și este păcat, deoarece ei au nevoie în primul rând de o relație stabilă. Pot fi foarte anxioși și disperați sau pot avea tendința de a le face pe plac celorlalți, lăsându-se folosiți și abuzați. Pot părea narcisiști, lăudându-se excesiv pentru a-și ascunde lipsa de valoare. Narcisiștii nu se iubesc, ci se urăsc. Lăudăroșenia lor egoistă este doar o ultimă încercare disperată de a-i face pe ceilalți să-i iubească. Pot trece prin emoții extreme și foarte schimbătoare din cauza fricii copleșitoare de a nu fi abandonați.

În orice caz, acestor copii le este greu să creeze și să mențină relații sănătoase pe măsură ce cresc. De multe ori, la maturitate, întâlnesc oameni la fel ca ei și unul sau ambii parteneri dintr-o relație tind să aibă un comportament toxic.

Granițe

Un alt aspect pe care îl deprindem dacă avem o copilărie sănătoasă este stabilirea unor limite și respectarea lor. Asta presupune să învățăm despre alegeri. Copiii sunt complet egocentrici. Este normal, întrucât în adolescență vor învăța că și alții contează și pentru a obține ceea ce vor trebuie să respecte niște reguli, să aibă o strategie, să fie atenți și respectuoși. Nu putem cere ca totul să meargă așa cum ne dorim. Trebuie să respectăm niște limite. Dar dacă părinții nu-l învață acest lucru pe copil sau dacă acesta nu învață din proprie experiență, va deveni asemenea unui taur într-un magazin de porțelanuri, care calcă în picioare granițele, trăirile și nevoile celorlalți, fără a le respecta alegerile sau chiar fără a-i lăsa să facă alegeri. Oamenii care nu recunosc granițele au avut adesea o copilărie disfuncțională, mai ales la începutul adolescenței. N-au învățat că alții contează cu adevărat și nu sunt doar niște instrumente menite să-i ajute pe ei să obțină ce vor.

„Sunt în regulă"

Dacă ai avut norocul să-ți formezi din copilărie o identitate solidă, este un început bun. Nu ajungem toți la acest nivel; unii dintre noi sunt destul de confuzi în legătură cu propriile trăiri, dorințe și preferințe. Sentimentul de a avea o identitate distinctă de ce se petrece în jur constituie ceea ce numim *ego*. O persoană cu un ego slab este asemenea unei bărci care plutește în derivă pe ocean: este fericită când i se întâmplă lucruri bune, deprimată când apar probleme, însă nu are un simț stabil al sinelui.

Și mai bine decât a avea un sentiment solid al propriei identități este să ajungi la concluzia că ești în regulă. De obicei, aceasta se bazează pe experiențele pozitive din copilărie (deși experiențele bune mai târziu în viață pot vindeca, în mare măsură, rănile timpurii) și ne protejează foarte bine de suișurile și coborâșurile vieții. De-a lungul carierei mele, am știut prea bine că nu sunt cel mai bun psihiatru din lume. M-am pregătit cu unii dintre ei – oameni extrem de inteligenți, bine instruiți, fermecători și intuitivi, cu o perspicacitate deosebită. În plus, aveau soții și copii minunați, iar pe lângă faptul că erau niște psihiatri grozavi și publicau studii de cercetare, erau și niște jucători de golf bunicei. Deși acești oameni îmi trezeau uneori sentimente neplăcute de invidie, reușeam să le țin sub control, deoarece știam că eram destul de bun în ce făceam. Poate că nu eram cel mai bun, dar nici pe departe nu eram cel mai slab. Eram în regulă. Acest lucru mi-a permis să-mi văd de munca mea fără să fiu influențat fără rost de reacțiile pacienților mei și ale familiilor lor. Să nu mă înțelegi greșit: îmi place să fiu apreciat și îmi displace critica, la fel ca oricui, dar nu mă bazez pe aprecieri și nu mă tem de critici. Sunt liber să fac și să fiu ce vreau, nu ce îmi atrage cele mai multe aprecieri.

Persoanele „în regulă" constituie o companie mai plăcută decât celelalte deoarece spun întotdeauna ce cred, nu ce își închipuie că vor să audă ceilalți sau ce anume atrage admirația celor din jur. Nu au nimic de ascuns.

Familii

Am vorbit deja despre cum ni se formează identitatea sub influența familiei de origine și nu voi mai aprofunda subiectul. Voi spune doar cele ce urmează. Am avut mulți pacienți care continuau să se prefacă bolnavi din convingerea că „Dacă voi face suficient pentru ei/dacă voi avea succes/dacă voi fi suficient de drăguță sau suficient de bogat, mama/tata îmi va spune că mă iubește". Nu, nu se va întâmpla așa și iată de ce. Dacă până la vârsta 40 de ani părinții nu ți-au spus că te iubesc, nu este problema ta, ci a lor. Nu-și vor exprima iubirea deoarece nu sunt în stare. Suferă de un handicap emoțional și asta nu se va schimba.

Poate ți se pare că sunt prea dur, însă nu cred că genetica este totul. Pentru mine, o mamă este cineva care se poartă ca o mamă, un tată este cineva care se poartă ca un părinte și așa mai departe, indiferent de gene. Și aș adăuga următoarele: un prieten este cel cu o atitudine prietenoasă. Așa sunt toți prietenii tăi?

Cam acestea sunt informațiile teoretice de care avem nevoie pentru a gestiona toxicitatea. Dar înainte de a merge mai departe, trebuie să vedem cum pot fi influențați oamenii.

3

Cum pot fi influențați oamenii

Înainte de a analiza ce fel de oameni și locuri ne pot afecta, haide să vedem cum pot fi influențați oamenii. Acest lucru ne permite să înțelegem cum își modelează oamenii mediul, în bine sau în rău, ceea ce explică modul în care un grup sau un loc poate deveni sănătos sau toxic. Ne facem o idee despre cum putem deveni mai buni în privința interacțiunilor cu ceilalți și despre cum putem schimba comportamentul celor din jurul nostru într-un mod benefic pentru noi.

Un prieten sociolog căruia i-am arătat o schiță a acestui capitol mi-a spus că dau impresia că îi învăț pe oameni cum să-i manipuleze pe ceilalți. Însă nu este adevărat, deoarece a manipula înseamnă a forța pe cineva să facă un lucru pe care nu-l vrea; intenția mea este să îți ofer metode de a schimba gândirea proprie și gândirea celorlalți pentru a interacționa într-un mod mai productiv.

Observație

Înainte de a alege cum interacționezi cu oamenii, individual sau ca un grup, mai întâi trebuie să-i observi. Poate pare evident, dar multora dintre cei care suferă de boli legate de stres nici nu le trece prin minte să-i înțeleagă pe cei care îi îmbolnăvesc. Sunt prea ocupați să le facă pe plac, să-i impresioneze sau să-i pună la punct.

Să fii un observator autentic înseamnă a face un pas înapoi, a spune și a face mai puțin pentru a observa și a asculta cu adevărat. Acesta reprezintă un aspect al prezenței conștiente, mindfulness, despre care vom discuta mai mult în Capitolul 10. Poate crezi că a fi tăcut și, aparent, pasiv îți va afecta popularitatea, dar din experiența mea, lucrurile nu stau așa. Dimpotrivă, oamenilor le place să fie ascultați și să li se ofere spațiu pentru a vorbi în voie.

Înțelegere

Este important să înțelegi perspectiva și motivațiile celorlalți înainte de a reacționa la spusele sau gesturile lor. Dacă cineva spune sau face ceva care te rănește, e posibil să fie intenționat sau nu. Este posibil ca, după propriile sale standarde, să aibă un comportament rezonabil. Poate că lui vorbele sau gesturile respective nu i s-ar părea dureroase.

Într-un discurs există cel puțin patru filtre și fiecare dintre acestea poate duce la neînțelegeri. Poate el a vrut să spună altceva. Poate ea a auzit altceva decât a spus el. Poate ea a înțeles altceva decât a auzit. Ceea ce își amintește s-ar putea să nu fie ce a înțeles inițial.

Prin urmare, pentru a interacționa mai bine cu oamenii, în primul rând trebuie să fii conștient de faptul că s-ar putea să nu-i înțelegi, iar ei s-ar putea să nu te înțeleagă pe tine. Dacă apare o problemă în interacțiunea cu o persoană sau cu un grup, nu judeca, ci încearcă să înțelegi cu adevărat ce se întâmplă de ambele părți. Nu face nimic. Prioritatea este să înțelegi. Acțiunea mai poate aștepta.

Conducere

Grupurile par să prospere sub conducerea unui lider priceput, care scoate ce-i mai bun în membrii echipei sale – adică noi toți. Dar ce înseamnă un lider priceput? Depinde de ce urmărești. Vrei pe cineva care să-ți spună ce să faci? Vrei un grup unit? Cauți motivație? Vrei pe cineva cu viziune sau idei ori un om de acțiune? Sau toate cele de mai sus? Bine, atunci ai nevoie de Stalin. Nu, vrei pe cineva care să asculte și să accepte gândurile și ideile tale? Dar dacă ideile celorlalți sunt incompatibile cu ale tale? Cum va decide liderul?

În realitate, există diferite tipuri de lideri și fiecare dintre ei se descurcă mai bine în anumite situații, deși unii nu sunt de folos nicăieri. Un studiu a descoperit că 60% dintre organizații au o conducere incompetentă – și, în orice caz, fără putere, capacitate de convingere și o viziune clară cu privire la ce este nevoie, nimeni nu poate reuși în calitate de lider. Însă luând în calcul aceste calități, sunt necesare diferite tipuri de lideri, în funcție de situație. În cazurile foarte favorabile, când există oportunități din belșug și puține probleme, ideal ar fi un lider orientat pe sarcini și un bun îndrumător. Același lucru este valabil în situații extrem de nefavorabile, în care organizația trebuie să se pregătească pentru ce e mai rău și să supraviețuiască. Dar în toate celelalte situații, când organizația se confruntă atât cu oportunități, cât și cu probleme, cel mai bine s-ar descurca un lider orientat pe relații, cu o atitudine încurajatoare și bune abilități de facilitare.

În orice caz, este necesar ca liderii să fie acceptați de cei aflați în subordine și totodată să aibă puterea de a lua decizii. Nu este ușor. Liderii trebuie să asigure unitatea grupului și urmărirea eficientă a unui scop comun, încurajând motivația, diminuând frica și evitând comportamentul agresiv. Cel mai important, trebuie să fie capabili să definească niște scopuri clare, pe care să le înțeleagă toți, indiferent dacă sunt sau nu de acord cu ele.

Comunicare

O bună comunicare te poate scuti de multe necazuri și poate schimba chiar și comportamentul oamenilor dificili. Totul este să fii convingător. Acest lucru are însă la bază mai multe aspecte: puterea de convingere înnăscută, tipul de mesaj pe care vrei să-l transmiți și caracteristicile audienței.

Persoanele cu bune abilități de comunicare sunt credibile și par să știe despre ce vorbesc. Prin urmare, nu încerca să te contrazici pe subiecte despre care nu știi nimic. În asemenea situații, mult mai impresionante și convingătoare sunt întrebările bine direcționate. Persoanele care știu să comunice sunt agreabile (voi vorbi mai târziu despre cum te poți face plăcut de către ceilalți) și dau impresia că au lucruri în comun cu audiența. Oamenii nu reacționează pozitiv la străinii care le spun ce să facă sau dacă sunt priviți de sus. Prin urmare, dacă vrei să-i influențezi pe membrii unui grup, mai întâi trebuie să devii un membru al grupului sau cel puțin să-i convingi că ești „unul dintre ei". În plus, există dovezi solide că oamenii atrăgători din punct de vedere fizic sunt mai convingători. În privința asta nu prea ai ce face; ori ai fost înzestrat de la natură, ori nu. Te-ai întrebat vreodată de ce mă mulțumesc să scriu? Și eu am o față numai bună pentru radio.

Pentru ca mesajul transmis să fie luat în considerare, trebuie să pari încrezător, dar nu exagerat. Mulți politicieni ratați suferă de o aroganță excesivă, care le întunecă judecata și în cele din urmă îi răpune (fostul secretar de externe David Owen a scris pe larg despre ceea ce el numește „sindromul aroganței").

Dacă trebuie să transmiți mai multe puncte, audiența le va reține mai bine pe primul și ultimul decât pe cele intermediare. În doze moderate, umorul este util, dar ar trebui evitat dacă nu te pricepi la glume. S-ar putea să o scoți la capăt dacă folosești un umor sec, ușor ironic și autocritic. „Spune ce vei prezenta, apoi chiar spune lucrurile respective, după care prezintă ce ai spus deja" – iată o regulă valabilă pentru jurnaliști și politicieni, care se aplică la fel de bine și în cazul celorlalți. Audiența își va aminti mai bine ideea principală dacă o rostești în mai multe feluri, iar la final o sintetizezi. E important ca orice mesaj convingător să aibă o concluzie limpede, chiar dacă există îndoieli cu privire la acțiunea corectă. Un bun vorbitor transmite cu claritate chiar și lucrurile neclare.

Dacă grupul pe care încerci să-l influențezi nu este prea sofisticat, cel mai bine este să-i oferi un argument unilateral, pe când dacă oamenii sunt educați și bine informați, este mai eficient să le prezinți două argumente, iar mai apoi să le explici de ce argumentul tău cântărește mai greu.

Dacă audiența este de aceeași părere cu vorbitorul, vei obține cele mai bune rezultate vorbind într-un ritm lent. În schimb, dacă oamenii au puncte de vedere foarte diferite de cele pe care vrei să le transmiți, este mai eficient să vorbești repede. Cel mai convingător este să începi cu un mesaj apropiat de convingerile lor, după care să îndrepți treptat discuția în direcția dorită.

Indiferent de audiență, entuziasmul, convingerea, contactul vizual și o postură deschisă, relaxată au un efect persuasiv.

Dacă îți este greu să înțelegi cum să pui în practică toate acestea, gândește-te cum s-a afirmat Tony Blair. A fost cel mai bun vorbitor pe care l-am văzut vreodată, indiferent ce crezi despre politica lui. Și gândește-te cum, în 2016, Donald Trump a devenit președintele SUA, iar Hillary Clinton nu. Nu este surprinzător că unii vorbitori profesioniști par să nu cunoască regulile de bază ale persuasiunii pe care le-am menționat în ultimele câteva paragrafe? În orice caz, regulile comunicării sunt aceleași, indiferent dacă vrei să influențezi un grup de 2, 60, 60 de milioane de persoane ori toată populația SUA.

Oameni care vindecă

Există persoane toxice și există oameni care vindecă. Studiile asupra motivelor pentru care psihoterapia funcționează demonstrează în repetate rânduri că trăsăturile personale și stilul unui terapeut au o influență mai puternică asupra clientului decât tipul de terapie utilizat. Printre caracteristicile acestor vindecători se numără empatia, autenticitatea, căldura și capacitatea de a asculta și a reflecta într-un mod care arată că au auzit și au înțeles problema împărtășită.

Acest lucru nu este valabil doar în cazul terapeuților profesioniști. Din experiența mea, foarte mulți oameni, mai ales bărbați, vor să rezolve probleme. De asemenea, vrem să „rezolvăm" oameni: când aceștia ne împărtășesc vreo neplăcere cu care se confruntă, vrem să le dăm sfaturi care să îmbunătățească situația. În realitate, de multe ori nu e nevoie de soluții, ci de exprimarea sentimentelor, de cineva care să fie acolo și să suporte tristețea fără a o alunga prin sfaturi perimate. O persoană capabilă să asculte cu adevărat și să fie lângă persoana care suferă are o influență vindecătoare imensă. Oamenii sinceri, afectuoși, empatici îi vindecă pe alții chiar fără să vrea.

Un exemplu bun în acest sens a ieșit la iveală acum câțiva ani, pe când începeam un proiect de cercetare referitor la cea mai bună metodă de a-i ajuta pe oameni să renunțe la Valium. Eu și colegii mei realizam evaluările de bază ale pacienților, măsurând, printre altele, nivelul lor de anxietate înainte de a începe procesul de renunțare la medicament. Acest lucru necesita câte trei întâlniri cu fiecare pacient în decurs de patru săptămâni, la fiecare dintre ele fiind aplicate o serie de scări de evaluare. Cercetătorii au fost instruiți ca la aceste întâlniri să nu le ofere pacienților nici un fel de terapie. Dar, firește, noi stăteam de vorbă cu ei, îi întrebam ce mai fac, care mai erau noutățile, ne interesam de starea de sănătate a partenerilor de viață și a animalelor de companie ș.a.m.d. Spre marea noastră surpriză, am descoperit că nivelul mediu de anxietate în grupul nostru de pacienți a scăzut cu mai mult de jumătate în cursul acestei perioade. De fapt, s-a redus atât de mult încât pacienții aproape că nu mai erau suficient de anxioși pentru ca studiul să fie valabil. Comunicarea plină de căldură și înțelegere ne vindecă.

S-ar putea să ți se pară cam multă psihologie pentru o carte de acest gen, dar cred că este crucial să cunoști aceste lucruri, întrucât ele conduc în mod logic la metodele de interacțiune cu oamenii și locurile toxice. Acum e momentul să vedem ce fel de oameni și locuri te pot îmbolnăvi dacă nu iei măsuri.

PARTEA A II-A

Oameni și locuri toxice

iubească, deoarece a iubi înseamnă a dărui. Sally nu știe decât să primească.

Dacă petreci mult timp cu Sally, te vei schimba. Fără să-ți dai seama, vei începe să-i încurajezi dependența și să pierzi din vedere propriile nevoi, drepturi și dorințe. Viața ți se va deveni un dans în jurul lui Sally, al cărui scop va fi evitarea conflictelor. Viața alături de un dependent este îngrozitor de monotonă, deprimantă, nesatisfăcătoare și, uneori, foarte periculoasă. Sally se va folosi de tine și, după ce va obține ce vrea, te va [illegible].

Toate acestea se vor schimba însă dacă Sally merge la recuperare. Nu Sally în sine era cea care te abuza, ci adicția ei. Există diferite metode de recuperare, însă în decursul carierei mele am descoperit că rezultatele cele mai bune le-am obținut cu organizația Alcoolicilor Anonimi și programele similare în 12 pași, destinate persoanelor cu alte dependențe, exceptând alcoolul. Există persoane care nu sunt de acord cu asta, dar eu nu cred că un dependent își va putea controla singur adicția. După părerea mea, abstinența este o strategie absolut necesară. Reluarea consumului de alcool pe parcursul etapelor de recuperare constituie o formă puternică (și garantată) de [illegible] care îi permite persoanei să [illegible] de [illegible], [illegible] de [illegible] de viață. [illegible] mai mulți dintre noi [illegible] să facă [illegible] vieții [illegible], ceea ce înseamnă că un dependent aflat în plină recuperare este [illegible] o persoană cu [illegible], [illegible] și [illegible] este să te gândești că [illegible] sunt [illegible] pe care [illegible]

4

Persoane toxice

Am lucrat odată cu un om care era cu adevărat toxic. Nu doar în ce mă privește, deși recunosc că m-a afectat pentru o vreme, ci cam pentru toată lumea care avea de-a face cu el. Nu pierdea nici o ocazie de a manipula situația în avantajul lui. Îi critica pe toți, îi sabota, era necinstit și nedemn de încredere. Dacă îndrăznea cineva să-i facă observație în legătură cu comportamentul său, devenea foarte amenințător. Colegii lui se temeau de el și, din câte știu, nu avea relații profesionale apropiate. N-am idee cum se descurcau pacienții lui. Astăzi, am bănuiala că General Medical Council (autoritatea care reglementează activitatea medicilor) s-ar fi interesat mai îndeaproape de el. Îl voi numi Alex, deși nu acesta era numele lui real.

Când mă gândesc la Alex, mă contrariază două aspecte. Primul dintre ele este faptul că, deși avea în jur de 45 de ani, ocupa un post pentru începători. Acest lucru cred că i-a afectat nevoia de a se simți important. Cu siguranță nu era un om prost, ceea ce îmi spune că toxicitatea lui evidentă îi limita eficiența și capacitatea de a reuși. Al doilea aspect este că, din câte știu, nici unul dintre colegii lui nu a rămas cu vreo traumă din cauza lui. Ne era frică de el, ne amenința foarte mult, dar am rămas în mare măsură neafectați. Cum a fost posibil?

Din câte mi se pare mie, comportamentul lui era prea evident. Fără a-și pune o pereche de coarne, coadă și fără să țină în mână un trident, era atât de toxic, încât toți îl tratau cu grijă, păstrau distanța și îi întâmpinau părerile cu o doză adecvată de scepticism.

Alex ne oferă un indiciu despre cum să înfruntăm toxicitatea.

Doar o persoană deosebit de vulnerabilă ar fi putut suferi din cauza lui Alex. Cineva care, din motive legate de personalitate sau trecutul său, nu era capabil să observe că Alex era periculos sau să evite să se lase influențat de el. Mă tem că recruta totuși astfel de victime, întrucât părea că se pricepe să găsească oameni pe care să-i folosească și să-i abuzeze, iar eu mă tem pentru binele lor.

Ceea ce vreau să subliniez este că foarte puțini oameni sunt toxici pentru toți cei cu care intră în contact sau în orice situație. Există doar câteva persoane fermecătoare, inteligente, realizate – și toxice. Abilitățile lor superioare le ascund natura și intențiile reale. Acești oameni au o capacitate imensă de a face rău celor din jur, dar, din fericire, nu se întâlnesc prea des.

De asemenea, dacă ți se întâmplă să ieși în calea unui psihopat pe o alee întunecoasă, ești extrem de ghinionist. Numărul atacurilor violente cauzate de psihopați este destul de mic. Mult mai des întâlnim indivizi cu un comportament toxic față de unele persoane, în anumite situații sau doar din când în când.

Aceasta este realitatea. Majoritatea oamenilor, spre deosebire de Alex, nu sunt niște caricaturi. Pentru a nu fi afectați de persoanele cu un comportament toxic, trebuie să ne înțelegem vulnerabilitățile și totodată să ne dăm seama cum și în ce situații ne pot afecta aceste persoane. Altminteri vom fi nefericiți și, la un moment dat, ne putem îmbolnăvi din cauza stresului.

Persoanele cele mai predispuse la „atacurile" oamenilor toxici sunt foarte binevoitoare și sincere. Mulți dintre indivizii descriși în acest capitol au antene foarte bune și se pricep de minune să găsească oameni de acest fel; prin urmare, dacă tu (sau cineva apropiat) ești o potențială victimă, citește cu mare atenție paginile următoare. Dacă recunoști pericolul, problema este pe jumătate rezolvată.

Ești predispus să ai de-a face cu persoane toxice? Iată o listă de vulnerabilități care te poate ajuta să găsești răspunsul.

- Ai un suflet bun.
- Ești afectuos.
- Ai încredere în alții.
- Ești o persoană generoasă.
- Ierți cu ușurință.
- Ai tendința să te pui pe ultimul loc.
- Ești sensibil.
- Nu te afirmi.
- Ești frecvent autocritic.
- N-ai încredere în tine.
- Ești dornic de aprobare.

- Vrei să eviți conflictele.
- Suferi de anxietate.
- Ești predispus la depresie.

Dacă ai bifat mai mult de jumătate dintre punctele de mai sus, poți fi vulnerabil la oamenii toxici.

Urmează descrierile unor tipuri de personalități care s-au dovedit toxice pentru pacienții mei. Merită să-ți dezvolți capacitatea de a recunoaște aceste caracteristici și comportamente, deși în viața de zi cu zi rareori vei întâlni persoane care se încadrează strict într-o categorie sau alta, ele prezentând mai degrabă un amestec de trăsături și comportamente în diferite momente sau diferite situații.

Subliniez din nou că nu îi judec din punct de vedere moral pe cei care au aceste trăsături. Nu vreau să spun că sunt lipsiți de valoare sau condamnabili în vreun fel. Mulți dintre ei au o viață grea din cauza copilăriei marcate de pierderi, haos sau abuzuri. Însă dacă știi să recunoști și să înfrunți persoanele care pot avea un comportament toxic în special față de tine, vei fi mai sănătos și mai fericit.

Sexele persoanelor din exemplele mele alternează. Asta nu înseamnă că trăsăturile prezentate se întâlnesc mai des la un sex sau la celălalt.

Invadatorii granițelor

George este cunoscut ca un intermediar, un vânzător. Întotdeauna obține ce vrea. Poate să obțină în ultimul moment o masă la un restaurant plin, fără rezervare, și să primească o reducere la un magazin unde nu sunt reduceri în acel moment. Ajunge la un eveniment „elegant“ în blugi și tricou și nimeni nu se scandalizează. „A, ăsta-i George. Nimeni nu-i ca el.“ Oamenii îi admiră îndrăzneala și se miră cum de îi reușesc toate.

Bufoneriile lui pot fi amuzante, iar capacitatea lui de a prelua controlul în situații pe care ceilalți le consideră intimidante poate fi liniștitoare, dacă ai aceleași scopuri ca el.

George înlătură toate limitele care îi stau în cale. Acesta este stilul lui – și a observat că funcționează foarte bine în ce îl privește. Îi disprețuiește pe oamenii care se supun normelor și vede viața ca pe o luptă în care câștigă doar cei îndrăzneți. E bine să-l ai de partea ta.

Dar acum vine partea proastă. De fapt, George nu este cu adevărat de partea ta. Îi pasă numai de el însuși, iar mai devreme sau mai târziu, asta te va afecta. Îți va cere să faci diverse lucruri pentru el sau să-i împrumuți bani. N-o să-ți dea banii înapoi și, peste câteva săptămâni, dacă îl vei întreba când are de gând să plătească, se va simți ofensat; te va face să te simți ca și cum l-ai fi insultat. Dacă nu pui piciorul în prag, o să-ți ceară din ce în ce mai multe. Întrucât granița dintre ce este acceptabil și ce nu se schimbă încet și subtil, dacă nu ești de acord cu ceva, gestul tău va părea meschin.

În cele din urmă, vei obosi și va trebui să-l refuzi. Dar fiindcă de obicei răspunsul era „da“, se va simți ofensat și va reacționa cu furie. Dacă nu ești suficient de ferm să-l refuzi, poți inventa o scuză. „Te-aș servi cu plăcere, George, dar astă-seară trebuie să stau cu copilul unei prietene.“ Va face tot ce-i stă în putință ca să scoată la iveală șiretlicul.

„Ce prietenă? Ce număr de telefon are? O s-o sun; sunt convins că va considera nevoia mea din seara asta mai importantă." Când trucul este descoperit, infracțiunea va fi trâmbițată și înregistrată peste tot, pentru a fi scoasă la lumină data viitoare când nu-i faci pe plac.

Prin urmare, devii un sclav. Când, în mod inevitabil, îți epuizezi forțele și te îmbolnăvești din cauza stresului, George te va învinovăți când nu ești alături de el și îți va spune că problema este doar în închipuirea ta.

Dacă George ți-e părinte, îți va reaminti frecvent cât îi ești de dator pentru că te-a crescut și ți-a dat viață, omițând faptul că toată copilăria ta n-a făcut altceva decât să te critice și să te intimideze. Dar dacă îi vei face din nou pe plac, poate – doar poate – într-o zi îți va spune că te iubește și te apreciază.

Visează în continuare. Nu va face asta niciodată, fiindcă nu-i stă în fire. Problema nu ești tu, ci el.

În cazurile cele mai subtile, invadarea granițelor poate fi dificil de observat. Există însă unele indicii în limbaj și în emoții. Cuvinte precum „doar" sau „decât", în fraze ca: „Am nevoie doar de câteva momente din timpul tău" sau „Nu-ți cer decât o mică favoare", trădează intențiile persoanei. Dacă aceasta subliniază cât de neînsemnată e cererea ei, sunt șanse să ceară de fapt mai mult decât ar trebui. Dacă spusele persoanei îți creează un sentiment de disconfort sau neplăcere, înseamnă că îți încalcă granițele. Cu siguranță merită să reflectezi puțin și poate mai vorbești cu cineva înainte de a spune „da".

Unele persoane care încalcă granițele nu sunt toxice, ci amuzante. Îndrăzneala lor e amuzantă și, uneori, utilă. Care e limita dintre îndrăzneală și toxicitate? Precum în cazul celorlalte exemple din acest capitol, răspunsul nu e ușor de dat și depinde de efectele asupra ta. Dacă poți stabili limite în relația cu George și el le acceptă, totul va fi în regulă, indiferent cum se poartă el cu restul lumii.

Nucleele haosului

Mildred apare în viața ta ca o explozie, atrăgându-ți atenția prin vitalitatea și disponibilitatea ei. Te dă pe spate cu capacitatea ei de a se plia după cum bate vântul, de a trăi emoții extreme, care te fac să simți că trăiești. Te tratează ca pe cea mai importantă persoană din lume, atât de specială, încât nu-i vine să creadă că te-a întâlnit. În prezența ei te simți oarecum mai important, mai puternic.

Problema este că nu ești primul în această situație și, cu siguranță, nici ultimul. Când ești înconjurat de vârtejul numit Mildred, te simți minunat, dar în curând o să te ia pe sus și o să se descotorosească de tine. Mildred înseamnă doar emoții extreme. Când e bine dispusă, radiază entuziasm, când e prost dispusă, se prăvălește în prăpastie și te trage după ea. Dacă sapi puțin, vei descoperi că Mildred lasă în urma ei un dezastru, asemenea unei tornade. Fiecare a fost unicul ei erou, apoi, inevitabil, s-a transformat într-un demon care trebuia părăsit sau pedepsit.

Și asta dacă ai noroc. Dacă ești extrem de perseverent sau, dintr-un motiv oarecare, te atașezi de Mildred pentru mai multă vreme decât majoritatea, te așteaptă lucruri și mai rele. Mildred nu se poartă haotic și dramatic: ea este însăși haosul și drama. Nu are o identitate solidă, preferințe sau valori proprii, ci doar impulsuri care se schimbă de la un moment la altul. Prin urmare, dacă acum ești preferatul ei și în clipa următoare nu, să știi că nu e vorba de tine, ci este doar Mildred, veșnic schimbătoare. Întrucât se simte goală pe dinăuntru, se așteaptă ca cei din jur să-i ofere ce vrea. Așadar, când totul îi merge din plin, se simte în extaz (pentru scurt timp), dar cum apar probleme, se cufundă în cea mai adâncă disperare. E posibil să reacționeze la ceea ce ție ți s-a părut o mică neînțelegere răstindu-se furioasă la tine sau făcându-și rău singură. Probabil din când în când va amenința cu sinuciderea. Aș vrea să te pot asigura că nu-și va pune în aplicare amenințările, dar nu e posibil, deoarece Mildred este, în primul rând, imprevizibilă. Din păcate, am cunoscut mai multe astfel de persoane care, de pildă, au luat o supradoză fatală, crezând că pastilele erau inofensive întrucât se vindeau fără rețetă (paracetamolul este unul dintre cele mai toxice medicamente când e luat în doze prea mari) ori au lăsat un mesaj partenerului în care spuneau ce au făcut, însă mesajul a fost găsit prea târziu. Drama e riscantă.

Reacțiile extreme ale lui Mildred față de tine, față de tot și de toate, constituie însăși identitatea ei. Ciclul dramelor nu se va sfârși nicicând (doar dacă va căuta un tratament eficient, însă chiar și atunci va dura o vreme). Dacă ai pornit la drum cu Mildred, va fi o călătorie dificilă. Ar fi bine să-ți pui centura de siguranță.

Profitori, agresori, leneși și vampiri energetici

Joel este opusul tău și îl atragi. Se potrivește perfect în spațiul oferit de natura ta încrezătoare, generoasă și afectuoasă. Va lua orice îi dai și îți va lăsa impresia că nu a fost suficient. Rareori își plătește consumația și este interesant cât de des își uită portofelul acasă. Este întotdeauna ocupat când ai nevoie de ajutor, cu excepția cazului în care sarcina respectivă îl amuză. Va sublinia cât de buni prieteni sunteți, dar îți va fi greu să spui cum te-a ajutat (reține, un prieten adevărat este cel amabil cu tine). Ai tendința de a te simți obligat față de el, însă el nu simte că ar avea vreo obligație față de tine. Crede că are dreptul la orice. De multe ori te vei simți recunoscător doar pentru prezența sa, deși nu prea știi de ce. Răspunsul este că, de-a lungul anilor, Joel și-a perfecționat capacitatea de a-i face pe oameni să se simtă datori (cu timp, efort, bani sau orice ar fi). Poate fi vorba de farmec, manipulare, umor sau oricare altă manevră enumerată în capitolul de față. În concluzie, primește fără să dea nimic în schimb. Obține ce vrea și nu prea-i pasă ce înseamnă asta pentru tine sau oricine altcineva. Deși te-ar putea face să te simți util și chiar iubit, nu te lăsa indus în eroare. Când nu vei mai fi în stare să-i oferi ce vrea, te va lăsa baltă și va merge mai departe.

Majoritatea persoanelor de acest gen sunt și abuzive. Nu este vorba neapărat de abuz fizic, deși e posibil, ci de abuz emoțional. Mai precis, Joel îți tratează cu dispreț sentimentele și puțin îi pasă de starea ta. Dacă are chef, poate fi binevoitor și fermecător, dar dacă este nervos sau supărat, nu va avea nici o reținere să-și reverse nervii pe tine.

Va face absolut tot ce are chef. Te vei întreba îngrijorat în ce dispoziție e astăzi și vei încerca să te comporți într-un mod care îl binedispune.

O mică parte dintre cei care abuzează sunt agresori sexuali. Persoanele care își abuzează sexual propriii copii sau pe ai altora sunt la extrema acestei categorii și manifestă cele mai pronunțate trăsături de personalitate. Nu e de mirare, având în vedere că abuzul sexual al copiilor este o graniță dificil de trecut. Pentru a se convinge pe sine să acționeze în acest fel, Joel trebuie să folosească niște strategii psihologice foarte puternice.

Joel, agresorul sexual, se va folosi de orice are la dispoziție pentru a obține ce vrea. Unul dintre aceste lucruri este puterea, precum în cazul vedetei care se folosește de faimă pentru a avea acces la copii și a-i convinge să facă tot ce vrea ea sau al profesorului care abuzează de autoritatea pe care o are asupra elevilor. Alte metode sunt negarea, raționalizarea și învinovățirea. „Eu n-am făcut așa ceva. A fost o neînțelegere; afecțiunea mea nevinovată a fost interpretată greșit" sau „A fost o aberație cauzată de stres. Nu gândeam limpede; nu se va mai întâmpla" (ba da, se va mai întâmpla, dacă nu-ți asumi responsabilitatea și nu ceri ajutor) sau „Copilul m-a sedus. Am fost o victimă a precocității sale sexuale." Toate aceste afirmații sunt caracteristice unui agresor sexual. În loc să-și asume responsabilitatea pentru faptele sale, Joel se va justifica sau va încerca să mintă pentru a ieși din încurcătură.

El ignoră în mod deliberat că un copil nu este responsabil; responsabilitatea vine la maturitate. Își va folosi experiența și toate abilitățile manipulative pentru a-și intimida victima și a o obliga să i se supună, convingând-o că, dacă îl dă de gol, va fi vina ei.

Există multe forme de abuz mai subtile decât aceasta și victimele pot avea orice vârstă. Însă ceea ce au în comun toate formele de abuz este faptul că agresorul deține puterea, nu victima. Joel dorește întotdeauna să fie cum vrea el și te va supune voinței lui.

Leneșul practică și el abuzul, dar sub o formă pasivă. Joel, leneșul, se folosește de conștiința, simțul datoriei și perfecționismul tău pentru a nu fi nevoit să facă ceva. Va fi un maestru al umorului autocritic, motiv pentru care indolența lui este, într-o oarecare măsură, acceptabilă, dar asta până când, în mod inevitabil, vei deveni obiectul remarcilor sale tăioase. Joel presupune că menirea ta este să-i îndeplinești lui dorințele și va profita de tendința ta de a te pune pe ultimul loc. Deși este un om de nimic, știe cum să-ți creeze impresia că este un privilegiu să-l poți servi. Scapă neobservat deoarece este fermecător, ceilalți îl plac și nu-ți dai seama de la început că se folosește de tine. Când devii conștient de asta și Joel descoperă că nu mai ai nimic de oferit, te va da la o parte fără să-ți spună măcar „mulțumesc". De fapt, probabil totul va fi doar din vina ta. Nu-l întreba nimic; nu are nici un sens, doar dacă pornești de la premisa că singurul care contează este Joel.

În final, mai este și Joel vampirul energetic, care este un fel de leneș, dar cu un tub aspirant menit să te stoarcă de vlagă. Te găsește fiindcă ai obiceiul de a dărui. Ești una dintre persoanele cărora le pasă de ceilalți, care încearcă întotdeauna să-i facă pe alții să se simtă mai bine. Îți va oferi o listă de probleme personale care continuă la nesfârșit. Când îi sugerezi o soluție, o respinge spunând: „Da, dar nu pot face asta pentru că..." Și acesta este un tip de joc, după cum vom vedea în secțiunea următoare. Problemele, nemulțumirile și grijile lui nu se termină niciodată, iar dacă încerci să rezolvi vreuna dintre ele, se va opune cu toată puterea. La sfârșitul interacțiunii vei fi epuizat și stors de vlagă, în timp ce Joel va părea plin de energie. Motivul este că el a reușit să-și reverse asupra ta toată frustrarea, îngrijorarea și nefericirea, preluându-ți în schimb energia. Adevărul este că toți ne simțim mai bine dacă împărtășim o parte din tristețea și grijile noastre: „o problemă împărtășită este pe jumătate rezolvată". Joel folosește acest principiu și nu se lasă până când nu te secătuiește de energie.

Dacă ești invitat adesea să asculți problemele altora, ajungând captiv într-un ciclu nesfârșit de: „De ce nu...?", „Da, dar...", dacă te simți de multe ori frustrat, secătuit de o persoană care a doua zi pare să fi uitat deja de problema sa, în timp ce tu te-ai frământat toată noaptea, mai mult ca sigur ai de-a face cu un vampir energetic.

Jucători și manipulatori

Am descris fenomenul jocurilor în Capitolul 2. Ca să-ți reîmprospătez memoria, este vorba despre o serie de acțiuni sub acoperire efectuate de jucător, menite să te pună într-o poziție pe care nu ai ocupa-o în mod voit. Cei mai mulți dintre noi se comportă ocazional asemenea unor jucători, atunci când nu sunt în cea mai bună formă, dar un număr restrâns de oameni apelează la jocuri mai tot timpul. Așa procedează Mabel pentru a obține ce vrea și așa a făcut toată viața. De asemenea, mama și bunica ei procedau la fel. Pe când Mabel era copil, mama ei folosea această strategie pentru a o controla, iar Mabel a ajuns la fel ca ea. Nimic din ceea ce spune nu poate fi luat ca atare, întrucât are un scop. Să presupunem că tu și Mabel locuiți împreună și decideți ce veți face diseară. Tu vrei să ieșiți în oraș, dar Mabel preferă să rămâneți acasă. Într-o relație sănătoasă, ați sta de vorbă pe îndelete, ați negocia și, poate, ați ajunge la un compromis – de pildă, ieșiți puțin în oraș, dar mâncați acasă. Însă în relația cu un jucător nu prea se pune problema unui schimb real de păreri.

„Hai să mâncăm în oraș", spui tu.

„Bine, dar să știi că burtica mea iar îmi da de furcă. Am impresia că mâncarea multă nu-mi face bine", răspunde Mabel.

„Atunci vrei sa stăm acasă?"

„Nu, nu, știu că nu-ți place să stai aici cu mine și preferi să te întâlnești cu prietenii. Nu mă deranjează."

„Esti sigură?"

„Nu știu, dar văd că tu vrei să ieși. Dacă vin și eu, o să-mi petrec seara la toaletă. Sunt convinsă că poți găsi un prieten cu care să mergi. Doar petreci atâta vreme cu prietenii."

„Atunci poate ar fi mai bine să rămânem acasă."

„Cum vrei tu. Pentru mine e în regulă. Numai să comanzi o pizza, ok?"

Mabel a câștigat. Și-a îndeplinit dorința de a rămâne acasă și a făcut astfel încât să pară ideea ta. Nu e nevoie să se simtă vinovată fiindcă n-a ținut cont de preferința ta, iar în plus te-a făcut pe tine să te simți vinovat deoarece petreci mult timp cu alte persoane. Se străduia de câteva săptămâni să-ți inducă acest sentiment de vinovăție și l-a folosit la momentul potrivit pentru a se asigura că îi dedici mai mult timp, fără pauze pentru a socializa cu ceilalți.

Există mii de asemenea jocuri, însă majoritatea se bazează pe sentimentul de vinovăție și datorie al victimei. Mabel primește recompense în mod regulat pentru jocul ei, deoarece tu reacționezi exact așa cum a prevăzut ea. În relația voastră nu există spontaneitate sau intimitate reală, ci doar un control subtil.

Manipularea este strâns legată de jocuri și are același scop: să te facă să te supui voinței lui Mabel. Se bazează pe o logică înșelătoare – adică pare a fi ceva rezonabil, deși nu este. Să spunem că Mabel este dependentă de opiacee (niște analgezice foarte puternice care pot cauza stări de exaltare; două exemple ar fi heroina și morfina). Mabel ajunge la clinica mea vineri seara la ora 6 și cere o rețetă pentru metadonă (un înlocuitor al heroinei). Spune că trebuie neapărat să-i dau rețeta deoarece medicamentele i-au căzut din buzunar într-un râu. Cabinetul medicului ei este închis, iar dacă nu-i dau medicamente pentru weekend, va face o criză și va muri. În decursul carierei, mi s-a întâmplat asta de cel puțin zece ori, aproape identic.

Eu știu că abstinența de la opiacee nu e fatală; poate fi neplăcută, dar nu cauzează convulsii și nu ucide. Însă mulți medici nu știu acest lucru și, ca urmare, scriu rețeta, care ajunge să fie vândută pe piața neagră. Au fost manipulați de un maestru. Cu toții am fost manipulați la un moment dat, deoarece fiecare are slăbiciunile lui, dar dacă aceeași persoană reușește mereu să te manipuleze, ai o problemă.

Dacă în majoritatea timpului te simți constrâns, forțat, vinovat sau îngrijorat în legătură cu cineva, mai mult ca sigur ai de-a face cu un jucător sau un manipulator.

Agresori și sadici

Clive este un bătăuș. Nu prea ai ce să-i faci, doar dacă și tu te hrănești din conflicte. După cum spune și poezia *Desiderata*: „Feriți-vă de persoanele agresive, fiindcă sunt ofensatoare pentru spirit". Clive folosește agresiunea pentru a obține ce vrea și se pricepe foarte bine la asta, având o experiență de-o viață. În copilărie, familia lui funcționa după principiile „scopul scuză mijloacele" și „e în regulă să fii dur, cu condiția să câștigi". Cel mai puternic iese victorios, iar ceilalți pierd. Cam asta este tot ce se poate spune despre Clive: îi intimidează pe cei din jurul lui pentru a-i domina și a-i obliga să facă tot ce vrea el. Nu poți discuta rațional sau să negociezi cu el, deoarece nu este motivat de adevăr, bun-simț sau corectitudine. Nu are rost să apelezi la latura lui morală, întrucât nu are așa ceva. Nu acceptă nici un refuz; prin urmare, acceptă, retrage-te sau pregătește-te de război, unul dur și îndelungat. Dacă încerci să-i opui rezistență, Clive va ridica miza până când te vei da bătut; obține întotdeauna ce vrea sau face prăpăd. S-ar putea să te intimideze sau să te amenințe cu violența, însă arma pe care o folosește cel mai des este umilirea. Poate fi însoțit de un grup de adepți de care are nevoie pentru a te umili în public. Aceștia au la rândul lor nevoie de el, deoarece îi face să se simtă mai puternici, să aibă impresia că fac parte din grupul alfa; prin urmare, între el și adepți este o relație simbiotică. Îi controlează la fel cum te controlează și pe tine.

Alteori, Clive te hărțuiește în spatele ușilor închise, tu fiind singura victimă. Pentru restul lumii și în ochii publicului, este un om bun și grijuliu, părintele, soțul, partenerul sau prietenul ideal. Dacă este violent cu tine și îl ameninți că-l vei părăsi, va fi smerit pentru o vreme și va promite că se va schimba. Însă acest comportament nu va dura, deoarece frustrarea și nevoia lui de a subjuga vor deveni copleșitoare. Este agresivitatea întruchipată.

Să precizăm un lucru: violența și intimidarea nu sunt normale, orice ar spune Clive. Oamenii iubitori nu lovesc, nu intimidează, nu-și umilesc și nu-și agresează partenerii. Nici măcar atunci când au o zi proastă, nici măcar când se îmbată, niciodată.

Clive, sadicul, este deosebit de înfricoșător. Are toate caracteristicile unui agresor, dar în plus îi place suferința. Se hrănește cu durerea altora, principala sa motivație fiind aceea de a-i răni și umili pe alții. Găsește o plăcere deosebită în a te răni în toate felurile posibile, ori de câte ori are ocazia.

Deși unii sadici sunt infractori, asemenea sadicilor sexuali din romanele polițiste, majoritatea se comportă într-un mod mai subtil. Clive poate avea fantezii cu practici sexuale sadice, dar nu le va pune în practică, întrucât nu i-ar plăcea consecințele dacă ar fi prins. Însă folosește situațiile de zi cu zi, cuvintele, umorul, criticile și puterea pentru a-ți cauza disconfortul și umilința la care îi place atât de mult să asiste. Este fermecător, dar numai până când te-a prins în capcană – moment în care se transformă brusc într-un monstru. Dacă-ți dăruiește mese sau bijuterii costisitoare, nu durează mult. În curând va începe să te critice și să te umilească în public, dând totodată la iveală toate secretele intime pe care i le-ai încredințat pe când părea să-ți fie prieten. Când vei încerca să scapi, îți va pune în față darurile și aparenta generozitate de care a dat dovadă la începutul relației voastre, ca să-ți fie clar că îi ești datoare, și nu te va lăsa să pleci până nu-ți plătești datoria. Dacă totuși pleci, va face tot ce-i stă în putință să te aducă înapoi. Își manifestă din nou farmecul, bunătatea și generozitatea. Dar nu te lăsa amăgită. Dacă lui Clive i-a plăcut să te rănească, o va face din nou după ce te va prinde iar în plasă.

O scurtă observație: practicile sexuale sadomasochiste consensuale nu reprezintă același lucru cu sadismul adevărat. Motivul este că, într-o relație de iubire, punerea în practică a fanteziilor sexuale constituie o parte din plăcerea de a dărui. Partenerul „dominant“ nu își subjugă de fapt „victima“. El face ceea ce au căzut de acord amândoi și se oprește la primul semn de neplăcere. Totuși, e bine să fii atent. Nu te implica în jocuri sadomasochiste decât dacă-ți cunoști foarte bine partenerul și ai încredere deplină în el.

Bombe și „elefanți"

Sarah nu are intenții rele, dar face foarte mult rău fără să vrea. E amuzantă și plină de viață, dar în același timp aprigă și imprevizibilă. Din când în când explodează, iar temperamentul ei este deopotrivă înfricoșător și derutant.

Nu știi ce o determină să izbucnească, iar uneori nu știe nici ea. Simte că își pierde controlul, stabilitatea, asemenea unui iaht fără direcție, și chiar asta se întâmplă. Dacă ești „victima", putem spune că Sarah este asemenea unei mitraliere așezate pe un trepied cu un clichet stricat. Trăgaciul este activat, iar arma se rotește pe trepied, împrăștiind gloanțe în toate direcțiile. Dacă te afli în calea unui glonte, vei fi lovit. Arma nu era îndreptată spre tine, dar de vreme ce te afli în raza ei de acțiune, ești lovit.

Este stresant să fii în preajma lui Sarah, așteptând următoarea explozie ai tendința de a fi precaut ca să n-o superi. Cu toate acestea, nu te îndepărtezi, deoarece Sarah este haioasă și, sub aparenta ei ferocitate, este o persoană drăguță. Însă te rănește foarte des, intenționat sau nu.

Sarah, „elefantul", are, în bună măsură, același efect. Nu este explozivă, dar își pierde controlul. Are o personalitate puternică, neînfrânată, asemenea unui elefant într-un magazin de porțelanuri. E bine intenționată, dar fără să vrea îți calcă în picioare sentimentele și vulnerabilitățile. Lipsa ei de sensibilitate e uluitoare. Te umilește în public fără să se gândească, dar efectul asupra ta este același ca și cum ar face-o în mod voit. Trâmbițează în public slăbiciunea sau particularitatea de care ți-e jenă, fără să-și dea seama că ești sensibil la problema respectivă (deși i-ai spus-o de mai multe ori). În această privință este consecventă, deoarece nu-i e rușine de nimic. Gonește prin viață fără să se gândească la dezastrul pe care-l lasă în urma ei.

Habotnici, lăudăroși, fundamentaliști și fanatici

Toxicitatea lui Donald este atât de evidentă, încât aproape nu are efect. Convingerea lui că toți cei de o altă rasă, religie, sex, orientare sexuală sau suporterii altui club de fotbal îi sunt inferiori este de-a dreptul ridicolă.

Din acest motiv, e ușor să te lași amăgit și să crezi că e doar un excentric inofensiv. Dacă aparții în toate privințele grupului său, nu te va amenința imediat, dar în cele din urmă o va face. Nimeni nu are cum să fie exact ca vecinul său, asta dacă nu cumva și tu ești un habotnic pregătit să fie de acord cu toate declarațiile superficiale ale lui Donald, dar sunt totuși șanse să se întoarcă împotriva ta. Prejudecățile lui nu suportă nici o contrazicere, iar când se întoarce împotriva ta, nu mai are rost să discuți sau să negociezi. O prejudecată rămâne întotdeauna aceeași. În orice caz, Donald are o stimă de sine redusă, deși n-ar recunoaște asta niciodată. Identitatea lui se reduce la presupunerea sa pătimașă că este o persoană deosebită fiindcă este un bărbat heterosexual caucazian de religie creștină, membru al United Supporters' Club. Trebuie să demonstreze că este mai bun decât tine pentru a nu fi nevoit să-și înfrunte îndoielile interioare. Iată de ce își apără prejudecățile cu atâta străşnicie.

Lăudăroșii sunt convinși că ei le știu pe toate și strigă acest lucru în gura mare. Dacă îi contrazici, vei avea de-a face cu dorința lor aprigă de răzbunare. Au tendința de a-și croi drum în diferite comisii, unde își impun ideile prost gândite. Sunt plini de sine, iar atitudinea lor pompoasă compromite orice înțelegere de bun-simț la care au ajuns ceilalți. Sunt o adevărată pacoste, mai ales în situații urgente.

Fundamentaliștii sunt și ei siguri de propriile convingeri. Interpretează ad litteram orice text la care aderă, fără drept de apel. Acest lucru se aplică atât la religie, cât și la nenumărate alte chestiuni esențiale sau mai puțin importante.

Donald cunoaște toate regulile și, dacă el este convins că gardul viu care separă proprietățile voastre are cu un centimetru mai mult decât ar trebui sau dacă ți-ai parcat mașina cu o jumătate de metru prea aproape de aleea lui, nu va avea somn până când nu găsește o ordonanță din 1328 care dovedește că tu ești de vină. Prin urmare, tunde gardul viu sau mută-ți mașina. Însă problemele nu se vor opri aici. Donald va continua să te hărțuiască sub un pretext sau altul până când fie nu-i mai răspunzi la sonerie sau la scrisori, fie te muți.

Fanaticii sunt niște fundamentaliști cu o energie nemărginită. Donald, fanaticul, își va urmări convingerea neabătut, dacă e nevoie până la moartea lui sau a ta. Nu-i sta în cale, fiindcă te va doborî. Dacă intri într-o dispută legală cu el, o va continua până când unul dintre voi sau amândoi dați faliment. Dacă refuzi să aderi la sistemul lui de convingeri, va considera că e de datoria lui să te distrugă, metaforic, emoțional sau la propriu.

Evident, fundamentaliştii şi fanaticii sunt oameni periculoşi. De fapt, îţi sugerez să fii precaut.

Narcisiştii

Lui Elizabeth îi place ca alţii să o placă. De fapt, aceştia trebuie să o placă. Nu fiindcă este îndrăgostită de ea însăşi: dimpotrivă, se urăşte pe sine. A fi plăcută, iubită, admirată reprezintă pentru ea o chestiune de viaţă şi de moarte, extrem de importantă pentru egoul ei (vezi Capitolul 2). Cum, narcisiştii nu sunt îndrăgostiţi de ei înşişi? De obicei, nu. Spre deosebire de Narcis din mitologia greacă, îndrăgostit de propria lui reflexie, Elizabeth s-a considerat întotdeauna lipsită de valoare. În copilărie, părinţii ei n-o făceau niciodată să se simtă valoroasă sau importantă. Pentru a compensa, avea tendinţa să se dea mare vedetă la şcoală, prin poveşti care o prezentau ca fiind mai bună decât colegii ei. Avea o casă mai mare, nişte părinţi mai importanţi, jucării mai scumpe şi aşa mai departe. Nu e de mirare că Elizabeth a ajuns destul de nepopulară printre colegi. Cu cât era respinsă mai mult, cu atât mai disperate deveneau eforturile ei de a obţine acceptarea şi admiraţia la care tânjea de la orice persoană pe care o convingea s-o asculte. În cele din urmă, a devenit un copil foarte trist şi izolat.

Ajunsă la maturitate, Elizabeth avea în locul egoului un gol imens. Acum este colega ta de serviciu şi nevoia ei de afirmare este disperată. Prin urmare, e tare dificil să lucrezi cu ea: totul trebuie să fie ideea ei, mereu trebuie să aibă dreptate şi întotdeauna va fi mai bună decât tine. Cu siguranţă nu e capabilă să lucreze în echipă, iar cu toate că încerci să o placi, e tare greu, fiindcă nu-ți va da nimic în schimb, deși se învârte mereu pe lângă tine și îți spune că ești cel mai bun prieten al ei.

Dacă nici tu nu ai încredere în tine, atenția lui Elizabeth, fie ea și egoistă, ar putea fi bine-venită, dar e însoțită de solicitări fără sfârșit. Când nu reușești să-i îndeplinești așteptările, Elizabeth se simte rănită și, foarte probabil, e foarte mânioasă și răzbunătoare. Nimic nu se compară cu furia unui narcisist tratat cu dispreț.

Când mi-am început cariera de psihiatru, instructorul meu de psihoterapie mi-a spus: „Dacă vei întâlni vreodată pe cineva care are cu adevărat nevoie de ajutorul tău, pentru numele lui Dumnezeu, te rog să nu i-l oferi". Ceea ce voia să spună era că astfel aș fi preluat nevoile nesfârșite ale unei persoane lipsite de forța interioară a egoului. Nici un terapeut nu poate umple golul lăsat de lipsa de afecțiune din copilărie. Dacă terapeutul îi spune unui astfel de pacient: „Nu-ți face griji, te voi vindeca; voi fi mereu alături de tine", poate își închipuie că spune adevărul, dar nu-i așa. În final, nereușind să-i ofere pacientului iubirea infinită, atenția totală și afirmarea constantă pe care i le-a promis, va constata că n-a făcut decât să amplifice răul suferit deja de pacient, confirmându-i așteptarea că până la urmă toată lumea îl va lăsa baltă.

Ești pregătit să o primești pe Elizabeth la tine acasă, pentru a fi sursa ei permanentă de afirmare și încurajare? Nu? Atunci începe chiar acum să stabilești limite dacă nu vrei să o rănești sau să-ți faci rău ție.

Psihopați/sociopați

Am vorbit puțin despre această categorie în Capitolul 1 și sunt aproape sigur că Alex, pe care l-am prezentat la începutul acestui capitol, era unul dintre aceștia. Avea trăsăturile clasice ale unui psihopat, fiind complet lipsit de conștiință, empatie și capacitatea de a învăța din propriile greșeli sau din sancțiunile ori oprobiul celorlalți. Din câte știu, n-a ucis pe nimeni și n-a comis vreo faptă violentă, dar psihopații inteligenți rareori dau dovadă de violență.

Din fericire, în lume există foarte puține personaje precum Hannibal Lecter.[1] Mult mai frecvent, oamenii din această categorie folosesc istețimea, farmecul, umorul, manipularea și strategia pentru a obține ce vor. E ușor să te lași vrăjit de un psihopat, deoarece are tendința de a-și perfecționa aceste abilități pe parcursul vieții. Dar să lămurim un lucru: dacă Alex trebuie să te amenințe pentru a obține ce vrea, o va face. Nu-i pasă cu adevărat de nimeni. Tot ceea ce face are un scop – iar acest scop nu ține cont de tine, de binele sau de sentimentele tale.

Cum îl poți vedea pe Alex așa cum e în realitate? Nu e ușor, deoarece a petrecut o viață întreagă perfecționându-și camuflajul. De obicei, psihopații nu au un râs malefic, nu trăiesc în vulcani stinși, nu au pisici extrem de pufoase și nu fac planuri pentru cucerirea lumii (James Bond, *Dr. No*? Nu contează...). Însă de-a lungul timpului, dacă ești atent, vei observa că Alex este doar o mască fermecătoare lipsită

---

1 Personaj din romanele *Dragonul roșu*, *Hannibal* și *Tăcerea mieilor* ale scriitorului american Thomas Harris. (n. tr.)

de substanță, este capricios, complet centrat pe sine, oportunist, lipsit de scrupule și de sentimente reale, de compasiune sau umanitate. Evaluează o persoană după faptele ei, nu după vorbe, mai ales în momentele dificile.

Dacă psihopatul din viața ta este mai subtil decât Alex și se pricepe mai bine să te păcălească, ai grijă. S-ar putea să nu te rănească fizic, dar dacă îi stai mai mult prin preajmă, atunci când îi convine, o să-ți facă rău într-un fel sau altul.

Posesori paranoici

Mary este nesigură. Asta face parte din farmecul ei. Vulnerabilitatea ei e atrăgătoare, iar dependența de tine te face să te simți puternic și protector. Însă Mary are în minte un scenariu care, în opinia ei, se va adeveri mereu. „Nimeni nu mă poate iubi, și chiar dacă un tip pare sincer, în cele din urmă se va sătura de mine, mă va înșela și apoi mă va părăsi. Întotdeauna voi fi părăsită." Cam asta este. Poți s-o încurajezi în toate felurile: „Nu, eu n-o să te părăsesc, o să-ți fiu mereu fidel". Însă replica ei va fi: „Ei, toți spun așa; așteaptă și ai să vezi".

La început, Mary se dedică relației, dar cu timpul devine din ce în ce mai posesivă. Dacă planifici ceva fără ea, se simte foarte nefericită. Când ieșiți să luați masa în oraș, începe să te acuze că le faci ochi dulci chelnerițelor. Apoi începe să-ți verifice e-mailurile, mesajele telefonice și scrisorile de la bancă. Face din țânțar armăsar, transformând orice fleac nevinovat într-o dovadă a infidelității tale. În mod inevitabil, predicțiile ei se adeveresc, întrucât relația nu poate supraviețui în asemenea condiții ostile și ajungeți să vă despărțiți. Asta îi confirmă lui Mary că viziunea ei despre lume e adevărată. În cele din urmă, va fi părăsită – și oricât ar suferi din această cauză, nefericirea ei ascunde o umbră de satisfacție ironică.

Între acest tip de nesiguranță marcată de gelozie și fenomenul geloziei patologice există o delimitare fină, însă deosebirea dintre cele două este crucială. O anumită doză de gelozie este normală într-o relație de iubire în care partenerii sunt legați printr-un atașament puternic. Dacă doza e prea mare, relația nu durează. Dar când distincția dintre realitate și fantezie dispare, situația devine periculoasă. O amăgire reprezintă o convingere fixă, falsă, care nu are sens în termenii culturii acelei persoane (cum ar fi, de pildă, o credință religioasă) și nu poate fi înlăturată prin argumente raționale. Gelozia patologică – convingerea că partenerul are o altă relație, în pofida unor dovezi contrare copleșitoare – se numără printre fenomenele care în psihiatrie sunt asociate cel mai frecvent cu actele grave de violență. Mary flutură un teanc de chitanțe și de e-mailuri tipărite, susținând că acestea reprezintă dovada că ai înșelat-o, și-ți flutură în față o pereche de chiloți de-ai tăi, arătându-ți ceea ce ea susține că sunt urme de spermă și părul pubian al amantei tale. Cu cât îți susții mai mult nevinovăția și îi oferi explicații raționale pentru descoperirile ei, cu atât ea se înfurie mai tare, până când în cele din urmă îți dă cu tigaia în cap. După aceea, la urgențe, îi pare rău. Își cere iertare și afirmă că totul va fi în regulă. Dar nu e în regulă. Până când Mary nu primește un tratament eficient, ești în pericol.

Posesivitatea are mai multe nuanțe în afară de gelozia patologică – și nu ești în pericol fizic din simplul motiv că partenera ta este puțin nesigură pe ea. Dar puteți discuta rațional despre ce o frământă? Nu susțin că Mary ar trebui să aibă mereu încredere în tine. Sunt de părere că încrederea este adesea supraevaluată, precum în cazul soțului a cărui relație extramaritală a fost descoperită și iertată și care îi spune soției: „Căsnicia noastră va merge doar dacă ai încredere în mine". De ce? Încrederea trebuie câștigată, iar odată pierdută, redobândirea ei necesită un timp îndelungat. Până atunci, trebuie să se supună tuturor „controalelor" pe care soția lui găsește de cuviință să le facă. Situația devine toxică atunci când partenerul caută în permanență dovezi fictive ale infidelității în lucrurile și evenimentele de zi cu zi, iar acest obicei ajunge să domine viața celor doi.

Ezitanți și evitanți

William pare bărbatul ideal; este aproape prea bun ca să fie adevărat. Arată bine, e inteligent, fermecător, relativ înstărit și, în mod surprinzător, necăsătorit la 38 de ani. Cu siguranță nu e homosexual, iar între voi începe să se înfiripe o frumoasă poveste de dragoste. Deoarece, la 35 de ani, tocmai ai divorțat după opt ani de căsnicie nefericită, te simți norocoasă că l-ai găsit.

William te urmărește cu o doză bună de romantism și hotărâre. Are ceva de furcă deoarece, în mod explicabil, te-ai ars deja o dată și nu te grăbești să lași garda jos. Dar William insistă și, în cele din urmă, te îndrăgostești de el.

Într-o seară, îl întrebi încotro crede el că se îndreaptă relația voastră și dacă v-ar putea vedea mutându-vă într-o zi împreună. În momentul acela, pentru prima dată, simți că William devine tensionat. Începe să fie evaziv, iar atmosfera din cameră se răcește brusc. În următoarele câteva săptămâni, William nu-ți dă nici un telefon și devine tot mai greu să iei legătura cu el. Până la urmă, te cuprinde nerăbdarea și îl întrebi dacă vrea să încheie relația. Spune că nu și, pentru o vreme, totul revine la normal. Însă chiar atunci când crezi că relația voastră este pe drumul cel bun, se întâmplă același lucru, iar William dispare din nou. Te interesezi de el la niște prieteni comuni și e limpede că nu se întâlnește cu altcineva, însă cel mai bun prieten al lui îți spune că William a fost dintotdeauna așa. Se teme să-și ia angajamente.

Bine, asta e, viața e prea scurtă. Îl suni pe William și-i spui că s-a terminat. E șocat și surprinzător de supărat. Dacă relația voastră era așa de importantă pentru el, spui tu, unde a dispărut? Te roagă să-i mai dai o șansă și ești de acord, deși eziți. Pentru o vreme William este din nou atent, dar ciclul se repetă și în curând dispare din nou.

Acum chiar s-a terminat și îi spui lui William să nu te mai caute. Dar el te caută, chiar de mai multe ori pe zi. Primești flori și bijuterii, încearcă să te convingă să mergi cu el într-o vacanță în Maldive, iar când nici asta nu merge, dintr-odată, te cere în căsătorie.

Ai idee ce se va întâmpla dacă vei accepta cererea lui William?

Ai ghicit. Va fi o relație singuratică și îndelungată, care va dura până la moartea unuia dintre voi, dacă nu îl părăsești cu adevărat. Iar asta nu va fi ușor, deoarece William va muta munții din loc să te aducă înapoi dacă vei încerca să pleci.

Acest ciclu va continua la nesfârșit dacă nu pui capăt, întrucât William se îndoiește fără încetare. Se simte obligat să fugă de ceea ce are și să obțină ce n-are. Când nu ești în preajma lui, William te idealizează. Când ești alături de el, se tot întreabă dacă ești partenera ideală sau dacă nu cumva ar putea găsi pe cineva mai bun.

Dacă aș primi o masă caldă pentru fiecare femeie de 45 de ani care a pierdut 20 de ani din viață cu un ezitant obsesiv, aș suferi de obezitate morbidă. Nu există nici o scăpare. Acceptă situația și poate vei avea un viitor chiar și în aceste condiții. Excluzând cazul în care William acceptă să urmeze un tratament și se ține de el...

În schimb, William, ezitantul, te va atrage în lumea lui. De pildă, dacă are fobie de murdărie și contaminare, te va pune să te speli pe mâini, să cureți suprafețele, să te descalți, să fierbi hainele, să cureți temeinic vasele și tacâmurile până când nu-ți va mai rămâne timp pentru nimic altceva. De asemenea, ar putea insista să adopți ritualurile lui lipsite de sens (cum ar fi să faci totul în grupe de câte trei), din cauza gândirii magice, care constituie un aspect al tulburării obsesiv-compulsive de care suferă. Se teme că dacă nu-și îndeplinește ritualurile i se va întâmpla ceva rău. Problema este că tulburarea lui William se va agrava cu timpul dacă nu urmează un tratament și, chiar dacă pe moment îi faci față, în cele din urmă nu va mai putea fi ținută sub control. Dacă William a avut dintotdeauna asemenea tendințe și comportamentul lui a rămas același de-a lungul timpului – să spunem că este un excentric inofensiv – atunci e în regulă. Dar dacă observi că are din ce în ce mai multe pretenții iraționale de la tine, ai o problemă care trebuie rezolvată.

Cei care țin scorul

Izzy este prietena ta cea mai bună sau cel puțin așa susține. Fără îndoială, face multe pentru tine și este extrem de generoasă. Dar la un moment dat începe să se plângă de faptul că prietenia dintre voi e unidirecțională. Tu nu-i oferi cât îți oferă ea. Ar fi cam greu, întrucât ai și alte prietene, iar dacă te-ai ocupa de ele așa cum ar vrea Izzy să te ocupi de ea, n-ai mai avea timp să dormi. Prin urmare, ai în permanență impresia că-i ești datoare, iar ea nu uită să-ți amintească acest lucru.

Izzy folosește dăruirea ca pe o armă. Are un sentiment profund de nedreptate. Ea ți-a dăruit totul, însă oare primește vreodată măcar un „mulțumesc"? Nici vorbă. Acesta este scenariul vieții ei și caută fără încetare dovezi care să-l susțină. Exagerează cu darurile și serviciile, iar dacă nu-i răspunzi la fel, te va copleși cu reproșuri, deoarece ține socoteala. E o situație foarte obositoare și descurajantă, iar în plus greu de observat sau de lăsat în urmă, întrucât Izzy pare foarte binevoitoare. Ar fi o răutate să refuzi pe cineva care-ți oferă atât de mult. Prin urmare, ești înrobită.

Glumeți și povestitori

Bill e un tip haios. Este un automat de bancuri, un maestru al tachinării și al farselor. Problema este că e un pic cam răutăcios. Glumele lui pe seama ta îi fac pe ceilalți să râdă de tine, nu cu tine. Trebuie să râzi cu el, oricât de malițios ar fi umorul său, altminteri vei fi etichetat ca fiind lipsit de simțul umorului. Bill, la fel ca toți comedianții, știe că dacă vrei să spui un lucru care să nu fie pus la îndoială, trebuie să-l comunici sub forma unui „banc". O frază precum: „Nu o lua în serios! Doar glumeam" îți permite să faci comentarii cât se poate de jignitoare fără a fi cenzurat. Există o tradiție onorabilă, datând de pe vremea bufonilor lui Shakespeare și chiar înaintea lor, de a folosi umorul pentru a spune lucruri care altminteri nu pot fi spuse.

Cred că o glumă este amuzantă doar dacă toată lumea se bucură de ea sau cel puțin dacă nimeni dintre cei de față nu se simte jignit. Asta nu înseamnă că nu poți folosi umorul pentru a-i înțepa pe fanfaroni, dar de preferință când nu sunt de față. Politicienii, celebritățile și colegii încrezători constituie niște ținte echitabile, deoarece sunt capabili să răspundă în aceeași măsură sau se află într-o poziție privilegiată, însă Bill preferă să aleagă persoane vulnerabile, care nu au încrederea sau inteligența necesară pentru a riposta. Umilirea nu e amuzantă, cel puțin din perspectiva mea. După mine, persoanele care se folosesc mereu de umor pentru a induce suferință și a obține controlul într-un grup sunt agresori mascați și oameni extrem de toxici.

În plus, Bill este un bârfitor. Spune tot felul de povești despre oameni, multe dintre ele având un sâmbure de adevăr, dar pe care le înflorește folosind cu iscusință hiperbola. Scopul este același ca în cazul glumelor: să dețină controlul, să-i pună la punct pe cei care nu sunt de acord cu el și să-și dezvolte popularitatea. Bârfa poate fi o distracție nevinovată, însă numai dacă nimeni nu este lezat. Înainte de a răspândi un zvon, merită întotdeauna să te gândești ce efect va avea asta asupra persoanei sau a persoanelor implicate atunci când, în mod inevitabil, va ajunge la ele. Sunt șanse ca Bill să fi inventat sau exagerat povestea. Având în vedere răutatea sa bine cunoscută, chiar vrei ca versiunea lui să triumfe? Din păcate, se întâmplă destul de des, întrucât e un povestitor extrem de credibil și captivant.

Dependenți

Sally le spune adesea oamenilor că îi iubește, dar numai când e beată. Nu prea merită să o iei în serios când se află în starea aceasta, fiindcă oricum a doua zi nu-și va mai aminti nimic. Adevărul este că Sally nu te iubește nici pe tine, nici pe nimeni altcineva. Indiferent ce drog sau dependență, singurul lucru care contează pentru ea este doza următoare. Puțin contează dacă e alcoolică sau dependentă de droguri, jocuri de noroc, mâncare, diete, exerciții fizice sau sex (dependența reprezintă orice ansamblu de comportamente menite să evite emoțiile și care, cu timpul, nu mai pot fi controlate). Înainte de a cădea victimă dependenței, poate că Sally era cea mai bună prietenă, mamă, parteneră sau soție, dar după aceea, dependența a devenit totul pentru ea, iar tu nu ești nici măcar pe locul al doilea. Dacă îi amenințí dependența, Sally te va ataca feroce sau va renunța la tine cu o cruzime inimaginabilă. Indiferent ce spune când e sub influența drogurilor, este incapabilă să iubească, deoarece a iubi înseamnă a dărui. Sally nu știe decât să primească.

Dacă petreci mult timp cu Sally, te vei schimba. Fără să-ți dai seama, vei începe să-i încurajezi dependența și să pierzi din vedere propriile nevoi, drepturi și dorințe. Viața ta va deveni un dans în jurul lui Sally, al cărui scop va fi evitarea conflictelor. Viața alături de un dependent este îngrozitor de mohorâtă, deprimantă, nesatisfăcătoare și, uneori, foarte periculoasă. Sally se va folosi de tine și, după ce va obține ce vrea, te va alunga.

Toate acestea se vor schimba însă dacă Sally merge la recuperare. Nu Sally în sine era cea care te abuzează, ci adicția ei. Există diferite metode de recuperare, însă în decursul carierei mele am descoperit că rezultatele cele mai bune le-au obținut organizația Alcoolicilor Anonimi și programele similare în 12 pași destinate persoanelor cu alte dependențe exceptând alcoolul. Există și persoane care nu sunt de acord cu asta, dar eu nu cred că un dependent își va putea controla vreodată adicția. După părerea mea, abstinența este o condiție absolut necesară. Renunțarea la consumul de alcool pe parcursul etapelor de recuperare constituie o formă puternică (și gratuită) de psihoterapie care îi permite persoanei să se ocupe de ea însăși, pe toate planurile, și de modul ei de viață. Cei mai mulți dintre noi nu reușesc să facă asta în tumultul vieții de zi cu zi, ceea ce înseamnă că un dependent aflat în plină recuperare este adesea o persoană cu totul deosebită, pe care merită s-o cunoști. O provocare interesantă este să te gândești care sunt cele zece persoane pe care le-ai cunoscut și le admiri cel mai mult. Eu am descoperit că, în ce mă privește, cinci dintre cei zece sunt alcoolici sau dependenți în curs de recuperare. Nu trebuie să fii dependent pentru a deveni o persoană minunată, dar cu siguranță ajută, cu condiția să te implici în mod susținut în procesul de recuperare. Altminteri ești o persoană toxică.

Ar fi mult mai multe de spus despre dependențe, dar având în vedere că pe piață există o sumedenie de cărți pe acest subiect (inclusiv una scrisă de mine, intitulată *Dying for a Drink* [Când vrei cu disperare să bei]), mă voi opri aici.

Tu

Dacă ești un om care dăruiește (iar în acest caz, cartea de față îți este destinată), sunt șanse ca principalul pericol să vină chiar din partea ta. Standardele tale duble sunt scandaloase. Ierți aproape orice, oricui, dar te critici aspru când ceva nu merge bine sau când nu te conformezi propriilor standarde de perfecțiune. Îți propun să te întrebi dacă ai spune altcuiva ceea ce îți spui de obicei ție. Nu? Eu cred că abuzul și cruzimea nu sunt în regulă, nici măcar când sunt autoinduse. E doar o sugestie...

Te îngrijorează că ai putea avea un efect toxic asupra celor din jur? Mă îndoiesc, deoarece majoritatea oamenilor toxici nu se gândesc niciodată la efectul pe care-l au asupra celorlalți, dar nu strică să verifici. Dacă ai prieteni sau rude binevoitoare, care țin la tine și au suficientă încredere în ele pentru a vorbi sincer, întreabă-le ce impact are comportamentul tău asupra lor. Fii pregătit să auzi adevăruri neplăcute și nu te grăbi să le contrazici sau să te justifici. Doar ascultă și pune întrebări mai târziu. Reține că a critica un comportament nu înseamnă a respinge valoarea persoanei care îl manifestă. Un sentiment nu e corect sau greșit, este doar o trăire – deci dacă un prieten spune că îl faci să se simtă prost, asta nu înseamnă că ești o persoană rea.

Persoane care par toxice, deși nu sunt

Când cineva îți face rău, înseamnă că are un efect negativ asupra ta, te face să te simți inconfortabil și îți schimbă comportamentul. Joe este un personaj fermecător, zgomotos, bombastic, încăpățânat, dar cu suflet bun. Este o oaie în haine de lup. Uneori se poartă stângaci, dar e surprinzător de sensibil și, imediat ce observă că te-a supărat, se retrage. Are o inimă de aur și nu poți rămâne supărat pe el prea mult timp. Nu e cazul să-i porți de grijă, deoarece, cu toate că are gura mare, nu îți cere nimic. Când vorbesc despre Joe, oamenii au tendința să ofteze și să se uite către cer, zâmbind. E plăcut să te afli în preajma lui, cu condiția să nu-l iei prea în serios. Joe se prezintă sub multe tipuri și forme, însă ideea este că nu te forțează în nici un fel și nu îți provoacă intenționat, repetat sau constant nefericire sau stres.

Ei bine, aceasta este lista mea de oameni toxici. Nu este finală; pur și simplu reflectă tipurile de oameni și comportamente care mi-au îmbolnăvit pacienții de-a lungul anilor. Sunt convins că ai și alte exemple de persoane care ți-au cauzat probleme. Totul este să fii atent. Observă-i pe oamenii care îți fac rău și ia mai degrabă decizii ferme în ceea ce-i privește decât să plutești în derivă într-un ocean de toxicitate. Partea a III-a a cărții te va ajuta în acest sens. Dar mai întâi iată o listă a semnelor care arată că e posibil să te afli în prezența unei persoane toxice. Reține, acest lucru e valabil doar dacă prezinți mai mulți factori de vulnerabilitate enumerați la începutul capitolului.

- Te simți epuizat, nefericit sau stresat în cea mai mare parte a timpului pe care-l petreci alături de ei.
- Te simți obligat sau forțat de ei să faci lucruri pe care nu le-ai face din proprie inițiativă.
- Sunteți apropiați de multă vreme, însă relația voastră nu prea a progresat.
- Te simți adesea vinovat că nu faci mai multe pentru ei.
- Te simți adesea judecat sau umilit de ei.
- Deseori le faci pe plac pentru a evita problemele.
- Îți cer mai mult decât oferă, iar tu le dăruiești mai mult decât celorlalți, fără să-ți explici de ce.
- Simți că trebuie să ai mare grijă să nu-i superi.
- Simți că nu ai de ales în privința lor.
- Ți-e frică de ei.
- Când ești cu ei, îți ignori propriile nevoi.
- Petreci mult timp îngrijorându-te la ce vor face în continuare.
- Când ești cu ei, nu poți spune ce crezi sau simți cu adevărat.

- Nu poți spune că ei au făcut un lucru fiindcă așa i-a îndemnat conștiința (cum ar fi să ajute pe cineva).
- Te simți adesea prins în capcană.
- Multe povești despre tine, care nu te pun în valoare, ajung la urechile tale, povești ce nu doar o dată au pornit de la ei.
- Le faci adesea favoruri deosebite.
- Constați că deseori încurajezi sau tolerezi comportamente pe care nu le-ai accepta din partea altcuiva.

5

Locuri toxice

Într-un timp relativ scurt, câteva persoane toxice pot polua un loc sau o organizație întreagă. Pe parcursul carierei mele, am avut de-a face cu un flux constant de victime ale acelorași companii toxice. Au tot venit, din anii 1980, când am început să practic psihiatria, până la jumătatea anilor 2010, când m-am pensionat. N-am nici o îndoială că fluxul continuă și în ziua de azi, în pofida faptului că majoritatea managerilor care își îmbolnăveau angajații în anii 1980 au ieșit la pensie în pragul noului mileniu. Cum e posibil?

Răspunsul este că o organizație preia rapid o cultură creată de câțiva oameni influenți, cultură care persistă prin intermediul celor care vin după ei. Multe dintre aceste persoane influente (dar nu toate) fac parte din conducerea companiei. E dificil pentru un angajat începător să repare o organizație devenită toxică – și mult mai ușor pentru un individ nou, dar convingător să polueze un mediu care până atunci era sănătos și productiv.

Odată ce a luat ființă, cultura tinde să persiste. Atitudinea pozitivă, creativitatea și responsabilitatea reală se perpetuează. La fel și cinismul, negativismul și tendința de a-i priva pe alții de putere.

În cele ce urmează, voi discuta în principal despre locuri de muncă toxice, însă și cluburile, organizațiile de voluntari, hostelurile, școlile, colegiile și chiar bisericile pot fi afectate în egală măsură.

În Partea I, am prezentat câțiva dintre factorii ce influențează comportamentul oamenilor. Aceștia sunt valabili îndeosebi în ceea ce privește funcționarea unei organizații, mai ales rolul liderilor (vezi Capitolul 3).

Lideri

Un lider bun poate avea o influență pozitivă enormă asupra modului în care funcționează o echipă, dar și contrariul e adevărat. Liderii toxici sau incompetenți creează locuri toxice. Din păcate, se pare că numărul liderilor nepotriviți este mult mai mare decât al celor buni, mai ales în domeniul serviciilor publice. Programul sistemului public de sănătate, cel al poliției, serviciului de ambulanțe și al celui de pompieri, al școlilor și serviciilor sociale este stabilit de politicieni, iar majoritatea acestora, din experiența mea, este constituită din indivizi cinici și lideri slabi. Așadar, nu e de mirare că am avut atâția pacienți proveniți din aceste servicii, care s-au îmbolnăvit din cauza influenței toxice a șefilor lor politici. După cum era de așteptat, pacienții mei erau cei mai buni și onești oameni, care se străduiau să facă totul bine.

Liderii care dau naștere unor medii de lucru toxice uită care este menirea lor – aceea de a facilita productivitatea. Ține de natura umană să vrei să schimbi după imaginea ta un loc de muncă atunci când preiei conducerea. Sau să fie vorba mai curând despre natura canină? Dacă duci un câine într-o casă nouă, primul lucru pe care-l va face când îi dai drumul în grădină este să urineze pentru a-și marca teritoriul. Din păcate, majoritatea noilor lideri procedează la fel când preiau conducerea și schimbă aproape totul. Probabil au impresia că sunt de ajutor, însă nu-i așa. În realitate, își umflă egoul marcându-și noul teritoriu. În general, ei nu consideră că schimbările pe care le fac sunt toxice. Toți angajații din sistemul de sănătate sunt la curent cu schimbările structurale care au loc de fiecare dată când este instaurat un nou guvern. Fiecare dintre ei a primit promisiuni că serviciile vor fi îmbunătățite. Nu s-a întâmplat așa.

Nu vreau să spun că nu trebuie să se schimbe nimic; firește, schimbările sunt necesare pentru ca organizația să se adapteze și să supraviețuiască în lumea competitivă modernă. Dar schimbarea este asemenea unei intervenții chirurgicale: trebuie efectuată când este nevoie, nu în situațiile în care nu este esențială. Oamenii lucrează cel mai bine într-un mediu familiar, în cadrul unor structuri pe care le înțeleg. Schimbările rapide afectează eficiența deoarece perturbă echilibrul emoțional al forței de muncă.

O conducere proastă se caracterizează prin directive și scopuri neclare și conflictuale. Să presupunem că în 30 de minute poți produce un dispozitiv de calitate și în 20 de minute unul mai slab. Ți se spune că trebuie să îmbunătățești calitatea și să produci trei dispozitive pe oră. Cum e posibil? E și mai rău când tot ei transmit: „Să faceți o treabă mai bună cu dispozitivele alea“, fără să specifice dacă asta înseamnă o calitate mai bună sau o cantitate mai mare. Liderii slabi consideră întrebările menite să clarifice situația drept o dovadă de prostie sau de impertinență, iar ca urmare forța de muncă face o treabă de mântuială, ascunzându-și greșelile când e posibil.

Opusul acestui stil este responsabilitatea reală. În societatea noastră sadomasochistă, acest cuvânt a ajuns să însemne „când ceva merge prost, găsește-l pe cel responsabil și pedepsește-l". Consecințele sunt frica, paralizia și deteriorarea performanțelor. Adevărata semnificație a responsabilității, așa cum se pare că ar fi fost definită la Harvard Business School în anii 1950, este următoarea: „În calitate de lider, îți voi delega această sarcină. Întrucât nu dispui de cunoștințele sau experiența mea, vei face greșeli. E în regulă, cu condiția să le recunoști și să înveți din ele". Responsabilitatea reală îmbunătățește în egală măsură eficiența și moralitatea. Organizațiile toxice nu o practică.

Liderii slabi dau nenumărate directive fără nici o explicație, de obicei însoțite de o amenințare ce se referă la consecințele teribile pe care le poate avea neaplicarea lor. Frica abundă și paranoia este în floare. Încep să circule zvonuri că toate acestea conduc la un rând de concedieri forțate. Majoritatea directivelor necesită un interval considerabil de timp pentru a fi puse în practică și nu se reflectă nici în reducerea altor îndatoriri, nici în recompense sporite. Forța de munca nu e consultată și n-are nici o idee despre semnificația sau scopul directivelor. Se simte asediată și lipsită de putere. Conducerea este autocrată, distantă și nimeni nu e capabil să-i informeze.

Tocmai când organizația începe să-și revină după „revoluție", se anunță o nouă reorganizare. Schimbările asimilate cu prețul atâtor suferințe sunt date la o parte, iar obiectivele se schimbă.

Unii lideri, mai ales cei din domeniul serviciilor publice, sunt convinși că aceasta este metoda de funcționare potrivită. Eu știu acest lucru, deoarece le-am ascultat argumentele. În esență, ideea este că dacă produci suficientă agitație în cadrul organizației, transformând-o într-un mediu cu adevărat dificil, angajații mai slabi vor pleca, iar cei care vor rămâne vor fi cei mai puternici și mai adaptabili. Dar este greșit. De fapt, există dovezi solide că se întâmplă exact contrariul.

Angajații cei mai buni și mai harnici consideră literă de lege fiecare directivă nouă gândită insuficient și se implică pe deplin. În cele din urmă, se simt dezamăgiți, epuizați sau deprimați și, la momentul cuvenit, pleacă. Nu mai rămân decât scursurile – cei care au descoperit o metodă de a păcăli sistemul, care știu cum să dea impresia că se conformează, deși în realitate fac foarte puțin. Acești oportuniști cinici știu cum să-și îndeplinească sarcinile și, prin urmare, sunt promovați. În cele din urmă, ei devin noii lideri.

Astfel ia naștere o cultură toxică. Ea se hrănește cu învinovățire, frică și evitare. Dă vina pe altcineva, rămâi într-o poziție sigură inspirându-le altora teamă și evită responsabilitatea reală păcălind sistemul.

Nu este obligatoriu să se întâmple așa, însă acesta va fi rezultatul dacă liderul își urmărește doar propriile interese, nu-și susține subalternii și adoptă convingerea că „nimic nu trebuie să meargă vreodată prost".

Creatorii neoficiali ai culturii

Aceștia tind să fie persoane charismatice și cu putere de convingere. Își fac prieteni ușor, au simțul umorului și se pricep să-i facă pe alții să adere la viziunea lor despre lume. Dacă îi contrazici sau le opui rezistență, te vei trezi exclus din grup. Joacă un rol esențial în funcționarea organizației. Problema este că, de vreme ce e mult mai ușor să critici decât să construiești, majoritatea oamenilor influenți își folosesc abilitățile într-o manieră negativă, ce afectează organizația. E bine ca liderii să identifice persoanele de acest gen în organizația lor și să încerce să le atragă în joc. Într-un loc toxic nu se întâmplă așa: dacă vrei să lucrezi într-un mod onest și pozitiv, aceste persoane îți vor pune bețe-n roate. Te vor lua peste picior fiindcă muncești din greu sau te vor critica deoarece proiectezi o lumină proastă asupra celorlalți făcând prea multe. Treptat, vei realiza că ai doar două variante: adopți o atitudine cinică și negativă, asemenea celor care te critică, sau devii marginalizat la locul de muncă.

O subcategorie deosebit de distructivă a acestei culturi o reprezintă sabotorii. Aceștia sunt motivați să blocheze orice efort, iar unii dintre ei chiar pot distruge organizația. Sunt maeștri ai manipulării și ai jocurilor, folosindu-și întotdeauna abilitățile într-un mod distructiv. Tind să fie conduși de mânie și resentimente, deși la început nu vor lăsa această impresie. Li se pare că ar fi trebuit să realizeze mai multe, dar au fost împiedicați de forțe nedrepte din organizație sau din afara ei, ori de oameni în general. Prezic eșecul oricărei întreprinderi și sunt încântați atunci când au ocazia să le arate celorlalți că ei au avut dreptate. Nu vei munci eficient cu un sabotor, întrucât va avea grijă să-ți spulbere toate eforturile bine intenționate. E nevoie doar de câteva persoane cu tendințe distructive pentru a transforma un loc de muncă într-unul toxic.

Lipsa muncii în echipă

După cum am explicat în Capitolul 2, o echipă eficientă realizează mai multe decât ar putea fiecare dintre membrii săi individual. Asta nu se întâmplă în locurile toxice, deoarece membrii lor nu au scopuri sau interese comune. Fiecare persoană își vede propriul interes și este în competiție cu colegii, în loc să colaboreze cu ei. În organizație domnește o atmosferă de neîncredere, în care angajații se privesc unii pe alții cu o suspiciune bine întemeiată. Unele persoane susțin că un asemenea gen de competiție internă mărește productivitatea. Nu este adevărat, dintre motivele pe care le-am menționat mai devreme; doar agresorii, care prosperă în medii toxice și, prin urmare, se adună în organizațiile toxice, se vor bucura când văd că te cerți cu colegii. E un fel de versiune modernă a „hăituirii ursului“, un așa-numit sport foarte popular în rândul claselor conducătoare în secolele XVI–XVIII.

Într-o organizație prost administrată, structurile menite să îmbunătățească performanța echipelor pot înrăutăți situația. Un exemplu sugestiv este „evaluarea la 360 de grade“. Ideea este că funcționarea tuturor nivelurilor din ierarhie poate fi îmbunătățită dacă fiecare om îi evaluează pe ceilalți. Ești evaluat de șefi, de colegi și de subalterni.

Pare o metodă excelentă, cât se poate de corectă și instructivă. Problema este că nu funcționează. Nu face decât să mărească stresul, să reducă gradul de deschidere și de onestitate (chiar vrei să oferi feedback negativ, constructiv unei persoane care te va evalua pe tine?), să favorizeze prefăcătoria și evitarea.

Același lucru este valabil în cazul structurilor și etichetelor oficiale care ar trebui să încurajeze munca în echipă, de exemplu „Investitori în oameni". E foarte clar ce organizații își susțin cu adevărat membrii sau angajații și nu este vorba despre cele care afișează tot felul de diplome pe pereți. Sunt organizațiile ai căror lideri manifestă un interes real față de binele angajaților lor. Nu arăți că-ți pasă de cineva completând o bucată de hârtie. Asemenea persoanei care-ți încalcă granițele, susținând că nu-ți cere mare lucru, nu te încrede în cei care se laudă în gura mare ce bine e să lucrezi pentru ei. Asta nu înseamnă că ești cinic, ci doar te abții de la o părere până când nu ai dovezi reale. O discuție între patru ochi cu câteva persoane din conducere îți va spune mai multe decât o sută de certificate.

Munca într-o echipă cu adevărat funcțională poate fi o experiență extrem de agreabilă. Din păcate, numărul acestor echipe este destul de restrâns, deși sunt multe care se laudă. În schimb, lucrul într-o „echipă" toxică este oribil și, cu timpul, există riscul să te îmbolnăvești, asta dacă nu cumva devii și tu un personaj toxic sau pui la punct strategii eficiente pentru a te proteja. Mai multe detalii în Capitolul 9.

Birocrație

Una dintre modalitățile prin care liderii caută să-și pună amprenta asupra unei organizații (sau țări) este crearea de noi structuri birocratice. Ei pornesc de la ideea că, prin implementarea mai multor reguli și metode de respectare a acestora, vor reuși să prevină problemele, iar organizația va deveni un loc mai bun. Nu, nu se va întâmpla așa. Gândește-te că timpul petrecut cu completarea formularelor înseamnă mai puțin timp investit în productivitate. Știm asta de cel puțin două milenii. Cel mai cunoscut citat din vechime pe această temă este atribuit adesea unui soldat roman pe nume Caius Petronius, care în jurul anului 50 î.Hr. a scris:

> Ne-am antrenat din greu, dar se pare că de fiecare dată când începeam să ne organizăm în echipe, urma să fim reorganizați. Mai târziu am aflat că oamenii au tendința de a întâmpina orice situație nouă prin reorganizare; poate fi o metodă nemaipomenită de a crea iluzia progresului, deși singurele rezultate sunt confuzia, ineficiența și descurajarea.

Superb spus. Din păcate, se pare că aceste cuvinte îi aparțin de fapt romancierului Charlton Ogburn și datează din 1957. Nu e neplăcut când faptele contrazic o poveste frumoasă? Realitatea este că oamenii se plângeau de birocrația și schimbările inutile încă de pe vremea romanilor (vezi Pliniu cel Bătrân, guvernator, autor și comentator politic pe vremea lui Hristos) și chiar mai înainte. Cel mai bun antidot pe care l-am văzut vreodată a fost la începutul carierei mele și era folosit la o clinică de psihiatrie unde managerii și consultanții au înființat un „comitet al formularelor". Nimeni nu putea concepe un formular nou fără să convingă comitetul că formularul era atât necesar, cât și extrem de concis. Problema era că pentru a ajunge la comitet trebuia să completezi un formular...

Când organizațiile devin cu adevărat toxice, încearcă adesea să-și ascundă ineficiența în spatele unor noi structuri birocratice. În opinia mea, o întrebare utilă care trebuie pusă oricărei organizații căreia te gândești să te alături ar fi: „Câte formulare care nu sunt prevăzute de lege aveți?"

Sexism, rasism și alte prejudecăți

Am abordat ceva mai devreme subiectul prejudecăților, dar trebuie să-l menționez și aici, deoarece în unele locuri prejudecățile reprezintă un aspect instituționalizat. Este un aspect ce ține de cultură și așa a fost întotdeauna. Nu poți combate prejudecățile, iar ele vor continua să existe chiar dacă încerci să le interzici prin lege. Sunt prezente din abundență în locurile toxice, deoarece e nevoie de cineva vinovat pentru eșecuri, iar oamenii de proastă calitate care regizează spectacolul trebuie să-și protejeze egoul, definindu-se mai buni decât cei din grupurile discriminate. Când o organizație se destramă, membrii ei tind să dea vina pe oricine poate fi clasificat drept „celălalt". Va fi cu siguranță foarte neplăcut să lucrezi într-un asemenea loc, cu excepția cazului în care și tu îmbrățișezi cu entuziasm prejudecata specifică.

Tot mai multe solicitări și din ce în ce mai puține resurse

„Eficiență" este un cuvânt foarte popular printre manageri, și pe bună dreptate. Având în vedere concurența din ce în ce mai aprigă din lumea modernă, fiecare afacere sau furnizor de servicii trebuie să se asigure că este cât mai eficient cu putință. Chestiunea eficienței trebuie reevaluată în mod regulat, pe măsură ce apar noi idei, tehnologii și competitori.

Din păcate, majoritatea organizațiilor nu analizează cifrele companiei și piața, nu examinează cu atenție cât de mult se pot întinde fără să aibă probleme. Nu analizează în ce măsură pot folosi resursele existente fără ca acestea să aibă de suferit. Continuă să ceară din ce în ce mai mult pe măsură ce reduc resursele de la an la an.

Iată un exemplu pe care l-am auzit cu ceva timp în urmă despre o linie de producție de automobile. Cererile privind numărul de automobile fabricate pe săptămână au crescut treptat, în timp ce resursele umane s-au redus. La început, productivitatea a crescut puțin – adică au ieșit mai multe automobile pe poarta fabricii. Pe măsură ce solicitările au crescut și resursele au continuat să scadă, pentru o perioadă scurtă s-a atins o fază de platou (vezi Figura 7). Ulterior însă, când resursele s-au redus doar o idee mai mult, a urmat o cădere bruscă și catastrofală: numărul de automobile produse a scăzut dramatic și afacerea s-a prăbușit.

Am asistat de nenumărate ori la asemenea căderi. Cel mai rău este că întâi îți pierzi cei mai buni angajați. Aceștia încearcă pentru o vreme să țină pasul și să realizeze imposibilul fără nici o sursă de sprijin, dar în cele din urmă cedează și ajung la cabinetul meu, iar cei care fac o treabă de mântuială rămân, prefăcându-se că dau totul să meargă treaba în continuare, până când, inevitabil, totul se prăbușește.

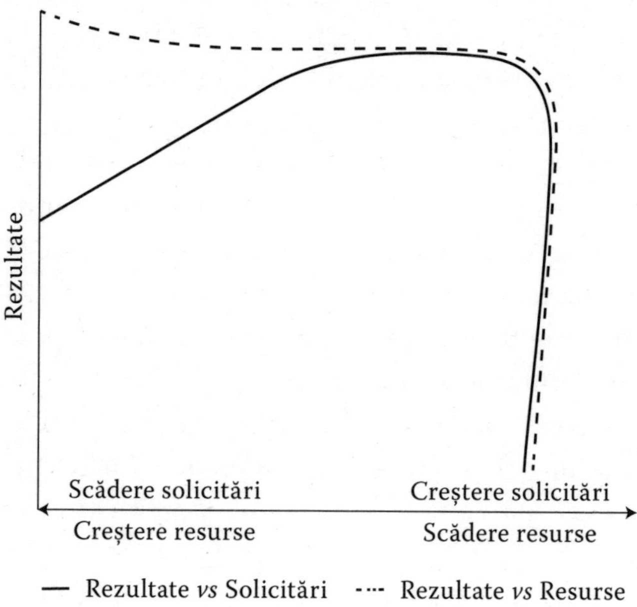

Figura 7. Comparație între rezultate și solicitările/resursele disponibile

La polul opus situației de mai sus s-a aflat o companie de tehnologie cu care am colaborat pentru a reduce efectele dăunătoare ale stresului. La ora 18:30, managerii ei îi trimiteau acasă pe muncitorii cei mai conștiincioși. Își dădeau seama că era important să-și protejeze cei mai buni oameni de epuizare, să-i încurajeze să o ia mai ușor. Mi-ar plăcea să spun că folosesc și în ziua de azi aceeași politică, dar nu e cazul. Au renunțat la serviciile mele într-o perioadă de reducere a cheltuielilor, iar ulterior am aflat că acum cer tot mai mult și reduc resursele în mod drastic. Nu o duc prea bine...

Există un lucru pe care-l poți face pentru a mări productivitatea fără a folosi mai multe resurse, iar acesta este să extinzi autonomia forței de muncă. Există dovezi ample că un muncitor care se simte auzit, stăpân pe situație și cu un cuvânt de spus este mai productiv decât cel care nu se bucură de aceste avantaje. Firește, trebuie să ținem cont de anumite limite. La sfârșitul zilei cineva trebuie să ia deciziile importante și nu pot fi toți mereu de acord. Cu toate acestea, modelul ilustrat în Figura 8 funcționează.

Controlul, autonomia, sentimentul de a fi implicat în organizație și existența unui număr suficient de resurse măresc productivitatea, în timp ce creșterea stresului peste un anumit nivel o reduce. Nu este ușor să conduci eficient o organizație ținând cont de aspectele de mai sus. Credeai că managementul e floare la ureche?

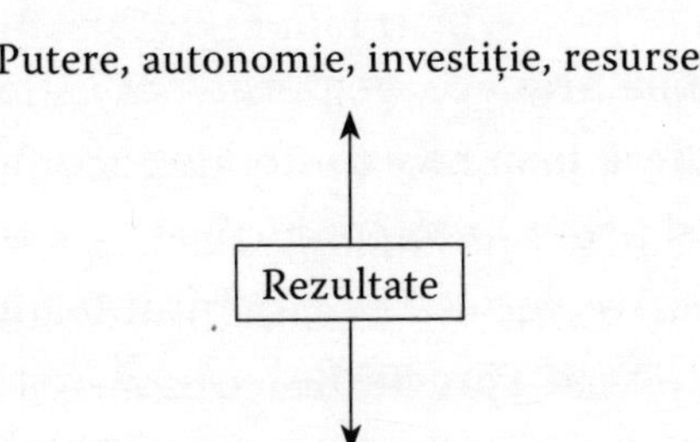

Figura 8. Factori ce influențează rezultatele

Schimbarea liniei de sosire

Organizațiile toxice nu sunt demne de încredere. Angajații sau membrii lor știu acest lucru și, cum era de așteptat, întâmpină cu cinism tot ce aud. Ei știu că odată ce au îndeplinit un obiectiv, acesta va fi startul pentru următorul, ca dovadă că primul obiecitv era prea mic. Nu mai ajungi niciodată la linia de sosire deoarece, pe măsură ce te apropii de ea, este mutată tot mai departe. E ca atunci când visezi că te urmărește cineva pe un coridor care, pe măsură ce înaintezi, se extinde din ce în ce mai mult, până la infinit.

Acest tipar, specific culturii multor organizații, este extrem de toxic. Singurii oameni care scapă nevătămați sunt cinicii, manipulatorii și cei extrem de competitivi, care aleargă pentru o vreme într-un ritm imposibil de susținut pe termen lung, în speranța că vor fi promovați și vor scăpa astfel de mizeria de la baza piramidei înainte să se prăbușească.

Recompense

Recompensele ne hrănesc, ne permit să înflorim. Locurile toxice nu ne oferă însă nici un fel de recompensă, ci doar frică, pericole și pedepse. Recompensele nu sunt doar materiale, deși o mărire de salariu este întotdeauna binevenită. Și mai eficiente sunt aprecierile, încrederea și implicarea. Managerii slabi nu apreciază pe nimeni și îi implică doar pe membrii găștii lor impenetrabile. Dacă lucrezi într-un mediu stresant, unde nu ești apreciat sau implicat și nu ți se acordă încredere, te afli într-un loc toxic. Fii cu băgare de seamă: dacă nu ai foarte multă grijă de tine, riști să cazi pradă stresului. (Dacă s-a întâmplat deja asta, răsfoiește cartea mea despre acest subiect, *Stress-related Illness* [Boli legate de stres].)

Toxicitate camuflată

Unii dintre cei mai toxici oameni pe care eu sau pacienții mei i-am întâlnit vreodată lucrau pentru organizații de caritate sau erau foarte implicați în activitatea vreunei biserici. Să nu mă înțelegi greșit: nu vreau să-ți transmit un mesaj antireligios. Eu însumi sunt un credincios educat vreo zece ani la o mănăstire catolică de niște creștini extraordinari. Ce vreau să spun este că apartenența la o organizație fondată pe principii bune nu constituie o garanție a bunătății.

Evaluează o organizație și pe membrii ei în funcție de ceea ce fac, nu de ceea ce spun sau de titlurile pe care le dețin. Practică într-adevăr principiile creștine ale bunătății și altruismului? E dominată de grupuri care îți dau impresia că ești exclus și lipsit de putere? Te simți inconfortabil și respins, ca și cum ai fi un străin, deși te afli acolo de un an? Simți o urmă de prejudecăți și ipocrizie? Cei mai influenți oamenii din organizație par să fie motivați mai mult de propria importanță decât de spiritul caritabil și iubirea față de semenii lor?

Ai grijă, s-ar putea să te afli într-un mediu toxic bine ascuns.

6

Familii toxice

Capitolul de față este scurt, dar aș putea scrie o carte întreagă pe această temă. Familia reprezintă unitatea de bază a societății, un grup minunat care oferă iubire, educație și sprijin în diverse direcții. Dar tot familia este responsabilă, în mare măsură, de nefericirea și suferința membrilor ei.

Adevărul este că putem renunța la prietenii care nu au un comportament binevoitor, dar nu și la familia noastră. Chiar și un nivel redus de toxicitate poate avea efecte severe dacă suntem expuși în cea mai importantă perioadă de formare a personalității sau în permanență. Persoanele toxice produc suferință deopotrivă familiei și celorlalți, dar efectul comportamentului lor este amplificat de profunzimea legăturilor familiale. O persoană este cu mult mai toxică dacă ți-e părinte decât dacă ar fi o simplă cunoștință.

Dacă vrei să afli mai multe despre „cum să supraviețuim familiei“, îți sugerez să citești excelenta carte cu același nume scrisă de Robin Skynner și John Cleese. Deocamdată, voi scoate în evidență câteva dintre efectele negative pe care le-au avut familiile lor asupra unor pacienți de-ai mei. S-ar putea să ți se pară că se repetă unele aspecte prezentate în capitolele precedente, dar cred că merită, întrucât familia constituie sursa unor numeroase probleme de care suferă numeroși pacienți.

Jocuri în familie

Jocurile constituie o parte a culturii familiale care se transmite din generație în generație. Dacă în copilărie ești învățat că poți dobândi putere și avantaje manipulând pe ascuns situațiile și oamenii, sunt șanse să practici aceste strategii la maturitate. S-ar putea nici să nu-ți dai seama ce faci: este doar un mod de viață.

Dar jocurile din familie pot cauza probleme. Într-o astfel de familie nu poate fi vorba despre spontaneitate sau intimitate reală, ci doar de lupta pentru putere. Ca părinte, dacă îți impui voința în fața copiilor făcându-i să se simtă vinovați sau prin viclenie în loc să le dai indicații clare, probabil vei avea o viață de familie liniștită, dar sunt puține șanse ca la maturitate copiii tăi să se bucure de relații fericite și stabile, marcate de spontaneitate și intimitate. Cel mai probabil vor începe să folosească cu ceilalți aceleași comportamente manipulatorii pe care le folosești tu cu ei – sau, dimpotrivă, vor avea tendința de a se pune întotdeauna pe ultimul loc, căzând victimă jocurilor celorlalți sau, mai grav, depresiei.

Familii „înnodate"

Este vorba despre acele familii în care doi membri se implică atât de mult în relația dintre ei, încât ceilalți sunt excluși, iar părțile astfel „înnodate" își pierd individualitatea. Nancy, mama lui Gerald, îl iubește la nebunie numai pe el. Gerald este mândria și bucuria ei: e un băiat de aur, incapabil să facă rău. Prin urmare, Peter, soțul lui Nancy, se simte exclus și, după multe încercări nereușite de a recrea apropierea de care el și soția lui s-au bucurat la începutul căsniciei, își petrece timpul din ce în ce mai des consumând alcool de unul singur în magazie. April, sora lui Gerald, rămâne practic fără părinți, foarte conștientă de faptul că nu este copilul preferat; e roata de rezervă, nimeni n-are nevoie de ea. Efectele toxice ale acestei dinamici familiale asupra lui April sunt evidente; de vreme ce în copilărie n-a fost niciodată apreciată, e puțin probabil să se aprecieze pe sine la maturitate, devenind astfel o victimă sigură pentru agresori.

În cazul lui Gerald, efectele pot fi mai puțin evidente, dar sunt cu siguranță negative. Legătura sufocantă și exclusivă cu mama sa îl va împiedica să învețe mecanismele dăruirii și primirii necesare pentru a avea o relație funcțională. Atenția exagerată pe care i-o oferă mama sa îi răpește șansa de a învăța din experiență sau de a-și forma propriile preferințe și aptitudini. Nancy hotărăște totul pentru el, lipsindu-l pe Gerald de ocazia de a învăța să găsească resurse, să aibă inițiative și răbdare.

E greu să fii un părinte iubitor, responsabil și activ fără să te implici prea mult în viața copiilor tăi. Contează însă enorm să găsești un echilibru între aceste două aspecte; copiii din astfel de familii nu o duc prea bine. Dar nu spune nimeni că educația copiilor e o treabă ușoară!

Familii cu țapi ispășitori

Haide să vorbim despre familia descrisă mai sus (la „Familii înnodate"). Această configurație dă naștere unei stabilități nefericite. Fiecare membru al familiei a învățat să-și accepte poziția, dându-și seama că n-are rost să încerce să schimbe lucrurile. Dar dacă April ar veni acasă cu un prieten? Acesta ar observa disfuncționalitățile din familia ei și ar întreba-o ce naiba se petrece acolo. Pentru a da un răspuns sincer, ar trebui ca fiecare membru al familiei să-și accepte partea de responsabilitate pentru situația dezastruoasă. Dar este mai ușor să dea vina pe Peter. La urma urmei, el nu face decât să bea toată ziua. Dacă Peter n-ar fi alcoolic, totul ar fi bine, toată familia ar fi fericită. S-ar putea să pară bizar, dar când Peter încearcă să renunțe la băutură, familia îi lasă pahare la îndemână și îi descurajează eforturile. În realitate, nu e chiar atât de ciudat: Peter ocupă mult-prețuitul rol de țap ispășitor, iar ceilalți membri ai familiei nu vor ca el să renunțe la această funcție, ca nu cumva să fie nevoiți să se confrunte cu propriile probleme.

Țapii ispășitori sunt destul de reticenți la schimbare. Unii dintre pacienții mei, care păreau oameni buni, sinceri și încântători, își petrecuseră toată viața presupunând că toate nenorocirile erau din vina lor. E o convingere foarte dificil de schimbat.

Familii de agresori

Am vorbit deja despre efectele nocive ale agresivității, dar acestea sunt deosebit de toxice în cadrul unei familii, deoarece victima este, în esență, captivă. Efectele pot fi și mai severe când un părinte (sau, Doamne ferește, ambii părinți) își agresează copilul. Ironia este că, după cum am spus mai devreme, copilul agresat, lipsit de orice stimă de sine, devine dedicat în totalitate părintelui agresor. Agresorul va fi capabil să se folosească până în ultima clipă de devotamentul neîncetat al copilului său, între timp devenit adult, forțându-l să se supună voinței lui.

Îmi pare rău, dar dacă ești un părinte bun, darnic și afectuos, probabil acest lucru nu se va întâmpla. Copiii tăi își vor vedea cât mai curând posibil de viață, trăind-o din plin, cu încrederea și atitudinea pozitivă învățată de la părinți. Când ajung la maturitate, ultimul lucru pe care copiii vor să-l facă este să petreacă foarte mult timp cu bătrânii și plictisitorii lor părinți. Viața e nedreaptă, nu-i așa? Iar copilul devenit adult nu se va purta ca un slujitor neplătit decât față de părintele agresor. Va atrage o sumedenie de persoane care vor profita de bunăvoința sa.

Înainte să-mi sari în cap, precizez că unii copii care au avut părinți buni și iubitori petrec timp cu aceștia; o familie extinsă cu adevărat fericită este un lucru minunat. Din păcate, deseori, lucrurile nu se petrec așa.

Firește, nu doar părinții își agresează copiii. Pe măsură ce părinții înaintează în vârstă și devin mai vulnerabili, e posibil ca fiii și fiicele lor să adopte față de ei un comportament agresiv. Acești vârstnici devotați urmașilor par să fi uitat că și ei contează. Doar pentru că ești în vârstă nu înseamnă că nu ai nici un fel de drepturi sau că preferințele tale nu trebuie luate în seamă.

Într-un astfel de context, merită menționat efectul furiei. Izbucnirile de mânie ale unui individ cu o personalitate explozivă nu constituie o agresiune în sensul propriu-zis al cuvântului și nici o încercare deliberată de a induce suferință victimei. Dimpotrivă, în general, persoana furioasă se simte oprimată, lipsită de putere și de control. Însă efectele pot fi aceleași ca în cazul agresorilor: ceilalți membri ai familiei vor căuta să protejeze persoana de orice ar putea s-o înfurie. În acest caz, dinamica familială se schimbă, și laitmotivul devine: „Să nu faci ceva ce l-ar putea supăra pe tata" (sau oricine ar fi persoana explozivă). Într-o astfel de familie domnește frica, iar când ajung la maturitate, copiii părinților explozivi tind să-și conducă viața după acest sentiment: „Dacă îmi asum vreun risc, voi fi pedepsit. E mai bine să stau cuminte".

Cea mai severă formă de agresiune este abuzul, cel mai toxic fiind abuzul sexual. Am menționat acest subiect ceva mai devreme și nu-l voi dezvolta. Dacă tu sau cineva drag a fost abuzat fizic sau sexual în copilărie și încă mai suferă din această cauză, îți recomand cu tărie să apelezi la psihoterapie. Pentru început poți vorbi cu medicul de familie. De asemenea, există o sumedenie de cărți și articole bune pe acest subiect. Introdu în motorul de căutare „Adulți supraviețuitori ai abuzurilor din copilărie" sau caută lucrări pe tema respectivă în librării sau biblioteci.

Familii de luptători pentru dreptate

Am împrumutat acest termen de la cunoscutul psiholog dr. Phil McGraw de la American TV. Se referă la relațiile în care nimeni nu împărtășește o idee, nu există un schimb respectuos de păreri sau preferințe, ci fiecare se luptă pentru a dovedi că are dreptate, iar partenerul lui greșește. Problema este că tema în discuție implică de obicei existența unor emoții. Emoțiile nu sunt bune sau rele. Prin urmare, este corect să spui „doi plus doi egal patru" (probabil; există matematicieni care m-ar putea contrazice). Aceasta este o realitate. O frază precum: „Ceea ce mi-ai spus a fost neplăcut și jignitor" lasă calea deschisă spre contraargumente; tu susții un fapt, deși vorbești despre o trăire. E posibil ca fiecare dintre noi să înțeleagă altceva prin „jignitor". Însă fraza: „Am fost supărat în legătură cu ce mi-ai spus" n-ar trebui să ducă la conflicte. Trăirile mele îmi aparțin și eu sunt singurul lor arbitru. În familiile conduse de lupta pentru dreptate, această distincție este ignorată și orice diferență devine, în sens metaforic, o luptă pe viață și pe moarte.

Discuția poate decurge în felul următor:

„M-ai supărat."

„Ba nu, doar am spus adevărul."

„Ba da, ai fost rău."

„Nu-i adevărat, ești tu prost și prea sensibil."

„Ești un idiot încăpățânat."

„Cine vorbește! Ce să mai spun despre tine când ai..."

Și așa mai departe. Nici unul dintre interlocutori nu încearcă să afle informații de la celălalt; singura lor prioritate este să câștige cearta și să se justifice. Am văzut familii care nu fac altceva decât să se certe.

Acei membri ai familiei care sunt mai puțin comunicativi sau îndrăzneți se retrag și nimeni nu află nimic de la nimeni. Copiii crescuți într-un asemenea mediu sunt capabili să-și susțină punctul de vedere, dar nu și să manifeste empatie, să facă compromisuri sau să negocieze eficient într-o relație.

Familii lipsite de afecțiune

Mai presus de orice, un copil are nevoie de o legătură strânsă cu cel puțin o persoană iubitoare, de încredere, care îl susține, preferabil cu mai multe persoane de acest fel. Dacă asta nu se întâmplă, fie din cauza bolii ori a decesului unuia sau ambilor părinți, fie deoarece părinții nu sunt capabili sau dispuși să le ofere iubire copiilor, efectul asupra acestora este toxic. Când copilul ajunge la maturitate, nu va fi în stare să creeze o legătură emoțională cu ceilalți, iar orice relație în care se va implica va fi egoistă sau nesigură. Un părinte care nu-și convinge copilul că este iubit pune o bombă cu ceas care va exploda mai târziu. Din fericire, mulți copii dispun de resurse imense. Cunosc destui oameni care par să fi scăpat nevătămați dintr-o copilărie alături de părinți reci, lipsiți de afecțiune, datorită sprijinului vindecător al unui profesor, unchi, mătuși, bunic sau prieten de familie bun și iubitor.

Familii afectate de dependențe

Am vorbit deja despre dependențe în contextul persoanelor toxice, dar subiectul nu poate fi trecut cu vederea într-un capitol despre familii toxice. Dependența nu afectează doar persoana dependentă. Efectele toxice ale acestei boli influențează întreaga familie. Asta înseamnă toate persoanele care trăiesc sub același acoperiș, dar, deloc surprinzător, cei mai afectați sunt copiii părinților alcoolici. Dacă tu sau cineva drag se încadrează în această categorie, îți recomand să citești cartea *Adult Children of Alcoholics* [Copiii adulți ai alcoolicilor] de Janet Woititz. Cred că vei recunoaște imaginea unei persoane care își asumă prea multe responsabilități, încearcă mereu să-i facă pe toți fericiți și caută să facă totul bine. Înainte de a intra în procesul de recuperare, dependenții produc suferințe imense celor din jur. O familie cu un membru dependent este toxică. Dacă faci parte dintr-o asemenea familie și crezi că nu ești afectat, s-ar putea să greșești. Dacă te îndoiești de spusele mele, vorbește cu cineva din afara familiei, care nu se teme să spună adevărul.

Poate ai impresia că în acest capitol am repetat unele lucruri menționate deja în capitolele anterioare. În acest caz, îmi cer scuze, dar ideea este că oamenii și situațiile cu potențial toxic în alte domenii au același efect și în viața lor familială. De fapt, efectul este chiar mai pronunțat, deoarece familia în care trăim ne influențează enorm, în bine și în rău.

7

Situații toxice

Unele situații de-a lungul vieții sunt croite în așa fel încât ajung să-ți producă suferință dacă te complaci prea mult timp. Acest lucru e adevărat indiferent dacă oamenii implicați sunt sau nu toxici. Însă merită întotdeauna să observi dacă sunt în joc asemenea persoane, fiindcă dacă sunt, probabil la originea problemei se află toxicitatea lor și va trebui să iei măsuri (vezi Capitolele 4 și 11). Nu voi relua aici problemele pe care le cauzează aceste persoane, însă vom discuta puțin despre situațiile care tind să ne afecteze emoțional. Unii dintre noi par să ajungă în astfel de situații tot timpul, poate din naivitate, bunătate lipsită de orice simț critic sau lipsă de precauție. Dacă vrei să rămâi sănătos și fericit, e important să te gândești puțin înainte să te grăbești.

Nu vreau să insist prea mult cu acest capitol, dar dacă dorești mai multe detalii, răsfoiește cartea pe care ți-am prezentat-o mai devreme, *Stress-related Illness* [Boli legate de stres]. E posibil ca subtitlul acesteia, „Sfaturi pentru oamenii care oferă prea mult", să îți ofere un indiciu.

Conflicte, dileme morale și duble constrângeri

Per ansamblu, un singur factor de stres nu îmbolnăvește pe nimeni, dar dacă există doi asemenea factori care acționează în direcții opuse sau conflictuale, consecința este, adesea, îmbolnăvirea. Dacă Tom este singur și vrea să devină angajatul anului, poate lucra cât vrea fără probleme pentru a-și atinge scopul. Dar să presupunem că se însoară și soția lui naște un copil. Tom vrea să fie soțul și tatăl perfect, să ajungă acasă devreme pentru a se implica în îngrijirea copilului și totodată să fie o sursă de sprijin emoțional pentru soția lui, Emma. Dar acum Tom și Emma au o ipotecă de plătit și trei guri de hrănit, așa că este esențial ca Tom să se mențină pe o traiectorie ascendentă la lucru. E imposibil. Îmi pare rău. Dacă nu face nimeni nici un fel de compromis, sănătatea lui Tom va avea de suferit.

Deosebit de dificile sunt conflictele care implică priorități morale. Te afli la o petrecere unde gazda își exprimă o părere pe care o consideri rasistă și revoltătoare. Știi că este o persoană sensibilă, care se simte ofensată ușor. Îi contrazici punctul de vedere și afirmi cu sinceritate opinia contrară sau nu spui nimic și, prin tăcerea ta, ești în mod implicit de acord cu lipsa ei de toleranță? Provoci suferință în cunoștință de cauză sau te abții? Acum trăiesc în partea de sud a SUA și, uneori, mă confrunt cu această dilemă (deși am de-a face totodată cu foarte multă bunăvoință și generozitate); totuși, ca să fiu sincer, am fost martor la manifestări de rasism și acasă. O să-ți spun mai târziu cum am procedat.

Constrângerile duble sunt conflicte create de oameni, de obicei (dar nu întotdeauna) în scopuri manipulative. Mama ta te roagă să-i permiți să petreacă mai mult timp cu bebelușul tău, însă obosește ușor și atunci o apucă migrena. Problema apare mereu pe neașteptate și simți că nu vrei să-i ceri prea mult. Prin urmare, te simți vinovată fie pentru că o privezi de plăcerea de a petrece timp cu nepotul, fie pentru că îi dai dureri de cap. Este extrem de stresant pentru tine, mai ales că nu găsești nici o soluție. Poate nici n-ar trebui să existe vreuna?

Cereri exagerate și cum să repari ireparabilul

Acum vreo 40 de ani, un celebru studiu a analizat ce anume le predispunea pe femei la tulburări depresive. Studiul a constituit un efort remarcabil, care a presupus intervievarea tuturor femeilor din Camberwell care au fost de acord să participe. Cercetătorii au descoperit că situația cea mai neplăcută cu care se putea confrunta o femeie nu era un deces, un dezastru sau un divorț, ci să crească trei sau mai mulți copii sub cinci ani fără a beneficia de sprijinul familiei. Nu contează că ești o mamă necăsătorită care locuiește într-un apartament la bloc din Camberwell și încearcă să fie părintele perfect sau directorul unei companii publice care încearcă să mențină prețul acțiunilor ridicat pe o piață în cădere. Dacă încerci să realizez imposibilul, te vei îmbolnăvi.

Când lucrurile merg rău, și cel mai dur se îmbolnăvește.

Viața este plină de probleme nerezolvabile. Iar pe primul loc se află oamenii care nu simt nevoia schimbării. Te rog să mă crezi că așa stau lucrurile: mi-am dedicat perioada de început a carierei exclusiv acestei probleme. Ulterior mi-am dat seama că rolul meu era să-mi ajut pacienții să înțeleagă situația în care se aflau și să le ofer opțiuni, nu să le impun să se schimbe, oricât de benefice ar fi părut schimbările pe care le propuneam. Poți ajuta o persoană să schimbe direcția, însă numai dacă vrea; altminteri eforturile tale vor avea ca rezultat numai frustrare, resentimente și, în cele în urmă, boala. Am cunoscut mulți oameni care și-au ales parteneri cu probleme de lungă durată evidente și au fost dezamăgiți când problemele n-au răspuns eforturilor lor de a le rezolva, ba chiar s-au agravat cu timpul. Nu vreau să spun că o persoană nu se poate schimba; cu siguranță acest lucru este posibil, dacă vrea cu adevărat. Întrebarea este dacă vrea.

Presiunea din partea colegilor și adoptarea unei poziții

Dinamica de grup este complicată și, deseori, greu de gestionat. Poți rezista solicitărilor nerezonabile ale unui individ, dar e mult mai greu să opui rezistență unui grup, mai ales dacă te bazezi pe prietenia membrilor săi. Când colegii pun presiune pe tine să faci ceva ce nu vrei, apare stresul. Dacă acest lucru se întâmplă frecvent sau în mod constant, te afli într-o situație toxică.

O formă obișnuită a acestei situații este presiunea de a alege una dintre tabere. Doi prieteni se ceartă și fiecare dintre ei vrea ca tu să joci rolul de arbitru. Încerci să fii echidistant, dar amândoi te acuză că îi abandonezi, că nu ești un prieten adevărat. Prin urmare, pierzi un prieten sau pe amândoi – și, deseori, întregul grup de prieteni, întrucât devii băiatul rău care nu este fidel prietenilor. E foarte neplăcut, nedrept – și se întâmplă foarte des.

Furie, ură și prejudecăți

Dacă ești un fanatic furios, te simți excelent în situații și grupuri dominate de învinovățire, prejudecăți și ură. Altminteri, asemenea situații sunt extrem de toxice. După cum am spus mai devreme, nu te poți împotrivi prejudecăților cu argumente logice. Nu poți concura cu un vânzător de ură care împroașcă în jur cu venin; emoția sa ar putea dărâma o clădire întreagă de birouri. Dacă ți se întâmplă așa ceva, te afli într-un loc extrem de toxic.

Pierdere și suferință

Suferința este toxică. Când îi moare partenerul iubit, cel care rămâne în urmă se confruntă cu un risc enorm de deces în următorii câțiva ani. Suferința poate fi un proces natural și necesar pentru a ne continua viața, dar nu lăsa pe nimeni să-ți spună că e bună pe termen lung, fiindcă nu-i așa. Dacă-ți aloci suficient timp să suferi, la un moment dat (n-aș putea să spun exact când, deoarece variază foarte mult de la caz la caz) te vei simți eliberat. Vei avea libertatea de a simți tristețea când și cum dorești în loc să fii afectat de ea în permanență. Vei fi liber să simți când vrei tu o serie întreagă de emoții – tristețe, dar și amuzament, afecțiune, interes și chiar bucurie. Dacă ai suferit recent o pierdere, să știi că, deși pare greu de crezut, în cele din urmă se va termina – nu tristețea, ci perioada de întuneric continuu; este ceva temporar.

Pierderile importante, oricare ar fi ele, sunt la fel de toxice precum suferința de după pierderea cuiva. Printre acestea se numără pierderea unui loc de muncă, a statutului social, a copiilor deveniți adulți, care se mută de acasă, a locuinței, a banilor, a sănătății sau a căsniciei – pierderea a ceea ce îndrăgești cel mai mult. De fapt, în opinia mea, divorțul este cel puțin la fel de toxic precum pierderea partenerului prin deces, deoarece nu există nici o cultură sau ritual care să te susțină, ci doar scrisori neplăcute de la avocați în care ți se spune ce persoană îngrozitoare ești. Știu că și avocații își fac doar meseria, însă chiar e necesar să facă oamenii să sufere și mai mult în momentele cele mai vulnerabile din viața lor?

Vulnerabilități personale

N-are rost să încerc să descriu toate situațiile toxice pentru tine, întrucât acestea depind de vulnerabilitățile tale particulare. Ele sunt parțial determinate de moștenirea genetică, dar, în mai mare măsură, de experiențele tale anterioare. Adversitatea nu te face mai puternic, ci mai vulnerabil la situații care, în mod real sau simbolic, sunt similare celor care te-au făcut să suferi în trecut. Cu cât vârsta la care ai suferit o traumă a fost mai mică, cu atât ești mai vulnerabil ulterior la situații similare. Prin urmare, dacă ți-ai pierdut un părinte pe când aveai doar 12 ani, vei fi mai predispus la depresie dacă îți pierzi slujba la 40 de ani decât cineva care nu a pierdut niciodată un părinte. Deși moartea unui părinte nu se compară cu șomajul, între cele două există o legătură simbolică; ambele reprezintă pierderea siguranței, a apartenenței și a valorii. Acesta este fenomenul rezonanței pe care l-am menționat în Capitolul 1.

Prin urmare, în viață ne confruntăm cu tot felul de obstacole toxice. Haide să vedem cum le putem înfrunta, rămânând totodată fericiți și sănătoși.

PARTEA A III-A

Înfruntarea toxicității

8

Principii generale pentru a înfrunta toxicitatea

În noiembrie 2015 m-am pensionat și am emigrat împreună cu soția mea în America. Este patria ei, o națiune pe care am admirat-o întotdeauna, așa că am plecat cu inima voioasă. Un an mai târziu, țara mea adoptivă a ales un președinte ale cărui comportamente și politici le consideram amândoi respingătoare. M-am simțit străin și, într-un fel, trădat de vecinii mei, în special deoarece în zona din sud, unde locuim, majoritatea populației își susține din plin liderul. Cum să fac față acestei situații, pe care o consideram toxică?

Am decis că mă voi implica în mișcările de opoziție, întrucât asta m-ar fi ajutat să nu mă mai simt atât de neajutorat. Am început să port pe cămașă un ac de siguranță, simbolul creat în Marea Britanie pentru a indica opoziția față de fanatism și intoleranță sub toate formele. La clubul de golf în care mă înscrisesem și unde încercasem să mă integrez timp de un an întreg, am fost întrebat ce semnifică acul de siguranță. Explicația mea a fost întâmpinată cu o dezaprobare rece, apoi Jim a vorbit în numele întregului grup: „Tim, adu-ți aminte că ești un oaspete în țara asta și trebuie să accepți deciziile gazdelor".

Prin urmare, ce era de făcut? Să păstrez tăcerea și, în felul acesta, să le transmit că sunt de acord cu ei, sau să continui să-mi ofensez și înstrăinez semenii? Eram într-o situație pe care o puteam considera toxică. Oamenii aceia drăguți, care-mi uraseră bun venit cu atâta prietenie, riscau să devină toxici pentru mine, deoarece îmi cereau să accept niște puncte de vedere și atitudini contrare tuturor convingerilor mele.

Soluția mea a fost să mă comport strategic. I-am răspuns lui Jim: „Două dintre lucrurile pe care le admir cel mai mult la această țară sunt libertatea de expresie și acceptarea opiniilor diferite. Eu îți respect părerea, însă punctul meu de vedere este diferit". Am continuat să port acul de siguranță, dar am evitat dezbaterile pe teme politice. În discuții, folosesc un ton cât mai moderat când îmi spun părerea sincer. Am acceptat că nu aveam cum să transform un grup de albi vârstnici din Carolina de Sud într-un grup de progresiști, dar am hotărât în tăcere să-mi păstrez identitatea. Dacă provoc pe cineva, o fac cu atenție, căutând să obțin schimbări mărunte, și nu transformări majore, iar dacă descopăr ceva cu care pot fi sincer de acord, nu ezit să o fac.

Folosesc umorul și autocritica. Dacă mi se pune o întrebare directă, dau un răspuns scurt, respectuos și onest, dar nu încerc să-mi impun punctele de vedere când nu sunt bine-venite. Am găsit câteva persoane care-mi împărtășesc o parte dintre convingeri. Am studiat și fotbalul american universitar, care este în mare vogă aici, ca să pot capta interesul colegilor.

Pare să meargă. Sunt considerat un britanic liberal excentric, dar cum nu provoc pe nimeni când nu e cazul, nu reprezint o amenințare, așa că sunt acceptat. Oare sunt nesincer? Laș? Eu aș spune mai curând că am un comportament strategic.

Acesta este un exemplu de idee pe care vreau să o împărtășesc cu tine. Înțelege ce anume poți obține și ce nu, ceea ce înseamnă să înțelegi situația în care te afli și persoana sau persoanele cu care te confrunți. Nu te grăbi; rămâi un observator până când înțelegi cu adevărat ce se petrece. Apoi comportă-te strategic, nu furios, și nu fi o victimă.

Siguranța de sine

Siguranța de sine este opusul agresiunii. Probabil cunoști persoane care sunt cu adevărat sigure pe sine. Nu țipă și nu dau cu pumnul în masă, ci spun ce au de spus cu calm și fermitate. Discută în contradictoriu doar când n-au încotro. Dacă sunt provocate, se concentrează pe esența provocării în loc să se implice într-o ceartă. Când se confruntă cu un abuz grosolan, își reafirmă părerea, refuzând să se lase antrenate în dispute. Dar nu se retrag când sunt convinse că tema discuției este importantă, știind prea bine că nu pot evita întotdeauna conflictele. Dacă furia plutește în aer, nu este a lor, dar nici nu se lasă abătute din drum sau intimidate. Nu țipă niciodată, iar dacă alții o fac, așteaptă până când țipetele încetează, după care dau un răspuns referitor la esența problemei. Nu e ușor deloc când ești împroșcat cu venin. În cele din urmă, reușesc să-și impună punctul de vedere. După câteva conflicte sporadice, oamenii nu prea mai încearcă să se pună cu o persoană sigură pe sine, realizând că n-are rost. Siguranța de sine este extrem de eficientă – ea constituie una dintre cele mai importante abilități. Cum o poți dezvolta?

Prin observație și prin practică. Observă-i pe cei care sunt într-adevăr siguri pe sine și încearcă să procedezi ca ei. Nu mă refer la indivizii agresivi și plini de sine, ci la persoanele calme și hotărâte. Atenție însă: dacă nu ai fost niciodată sigur pe tine, la început n-o să-ți iasă prea bine. Cel mai important lucru pe care va trebui să-l înveți este cum să dai greș. Încearcă, greșește, iartă-te pentru asta și tratează-te cu respect și bunăvoință când înveți din greșeli.

La început, în mod inevitabil, te vei simți ca un impostor. Te prefaci că ești sigur pe tine, deși nu te simți deloc așa. Însă n-are importanță, deoarece există un principiu care spune că devii așa cum te comporți. Dacă ești hotărât sau măcar încerci suficient de mult, vei deveni o persoană sigură pe sine, care se afirmă cu hotărâre. Prin urmare, dă-i înainte, continuă să înveți din propriile greșeli – și fii îngăduitor cu tine însuți.

Încearcă să nu devii furios sau agresiv, chiar dacă te simți astfel; vorbește cu calm și nu te grăbi. Dacă te înfurii, este doar o experiență din care ai de învățat. Nu judeca rezultatul, cel puțin la început. Scopul încercării de a părea sigur pe tine este acela de a practica această abilitate, nu de a obține imediat rezultate pozitive. Acestea vor veni mai târziu.

De asemenea, nu te aștepta la aplauze din partea celuilalt. Doar persoanele foarte puternice își recunosc greșelile – și e puțin probabil ca individul pe care tu îl percepi drept toxic să se numere printre ele. E mult mai probabil să se înfurie sau să te ridiculizeze. Nu are importanță; nu ești responsabil de reacția lui. Ceea ce contează este că manifești siguranță pentru prima oară în viață. Nu accepta judecățile celuilalt: nu este obiectiv, doar se plânge că îi opui rezistență, lucru cu care nu este obișnuit. Contează ce încerci să faci, nu rezultatul. Perseverează și în cele din urmă vei reuși. Pentru început, poți încerca să fii mai hotărât în relația cu un prieten de încredere, spunându-i ce faci și rugându-l să aibă răbdare cu tine.

Stabilirea unor granițe

Un aspect esențial al siguranței de sine este capacitatea de a stabili granițe. Asta înseamnă să știi cu claritate care-ți sunt limitele și să le respecți. O persoană care te forțează să faci ce nu vrei nu trebuie să fie mulțumită că o refuzi, ci doar să accepte acest lucru. Menține în permanență aceleași limite previzibile și, în cele din urmă, cei din jur nu vor mai încerca să le încalce. Când profitorii sau agresorii sunt obișnuiți să aibă câștig de cauză, n-o să fie deloc încântați când vei schimba pentru prima dată regulile, dar dacă perseverezi, vor înceta să-ți mai testeze limitele. Prin urmare, nu cădea în capcană: nu căuta ca alții să te accepte sau să-ți aprobe limitele. Nu o vor face, sau cel puțin nu de la început.

Dacă o persoană te sâcâie în mod repetat cu cererile ei, trebuie să-ți vă reevaluezi granițele. Ce alegi? Ești dispus să faci compromisuri? În cazul în care ai tendința de a face ce ți se cere, care este motivul? Este alegerea ta sau cedezi presiunii de a face un lucru pe care altfel nu ai alege să-l faci? Oare este momentul să pui piciorul în prag? Da? Atunci începe chiar de acum; dacă amâni, îți va fi din ce în ce mai greu.

Când agresorul se supără pe tine că ai început să stabilești granițe, este necesar să-i spui ceva neutru, care nu stârnește emoții intense. Nu te arăta ofensat de cererile sale nerezonabile, dar nici nu-ți cere scuze pentru limitele impuse de tine. Ai putea spune: „Îmi pare rău că ești supărat pe mine". E cu totul altceva decât: „Îmi pare rău fiindcă te-am supărat" sau „Îmi pare rău fiindcă nu te pot ajuta". Nu tu l-ai supărat, ci el a ales să se supere. Nu l-ai refuzat, ci pur și simplu ai stabilit o barieră; modul în care răspunde este alegerea lui. S-ar putea să ți se pară o chestiune de semantică, dar este ceva important. Poți accepta sentimentele unei persoane (ceea ce deseori ajută la calmarea situației) fără să-ți asumi responsabilitatea pentru ele.

Când stabilești granițe, ești răspunzător în primul rând față de tine. Dacă nu-ți respecți propriile limite și nevoi, nici ceilalți nu o vor face, iar în cele din urmă vei fi nefolositor atât celor care au cu adevărat nevoie de tine, cât și ție însuți. Dar acordă-ți timp suficient. Nu e ușor, mai ales când te pune la încercare o persoană toxică.

Minimizarea conflictelor

După cum am menționat deja, nu poți și nici nu trebuie să eviți întotdeauna conflictele, dar le poți diminua frecvența și intensitatea. Secretul este să rămâi atent când te implici în interacțiuni. Când interacțiunea este armonioasă, totul e bine și frumos, dar când e tensiune în aer, asigură-te că gândești înainte. Uneori, neînțelegerile reprezintă un schimb de păreri interesant și reciproc avantajos. Dar alteori diferențele dintre tine și interlocutori constituie o sursă evidentă de emoții dificile pentru ambele părți. Atunci este momentul să-ți pui următoarele întrebări:

- De ce mă implic în această dispută?
- Ce vreau să obțin din asta?
- Cum voi proceda?
- Ce șanse am să-mi ating scopurile?
- Care sunt riscurile?

Să dăm un exemplu. Să spunem că ești la birou, în pauza de cafea, iar doi dintre colegii tăi cei mai plini de ei și mai intoleranți discută despre nevoia stopării imigrației, în special a persoanelor de culoare. Retorica lor rasistă ți se pare jignitoare. Îi acuzi în public de rasism și intoleranță? Nu spui nimic? Haide să ne punem cele cinci întrebări de mai sus și să vedem care ar putea fi răspunsurile.

- De ce mă implic în această dispută? Deoarece colegii mei sunt jignitor de rasiști și, dacă nu mă implic, ar însemna că sunt de acord cu ei. Trebuie să spun ceva.
- Ce vreau să obțin din asta? Să-i conving că ar trebui să fie mai puțin rasiști sau, cel puțin, să-și păstreze părerile jignitoare pentru ei. Chiar crezi că vor renunța la convingerile lor rasiste de o viață fiindcă le spui tu?

Dacă mai sunt de față și alte persoane care-ți împărtășesc părerile, ai putea încerca să-i umilești cu ajutorul lor, însă este o inițiativă riscantă, care ar putea duce mai curând la împărțirea biroului în două tabere decât la o schimbare de atitudine utilă. Dar dacă le spui: „Băieți, lăsați-o mai moale, fiindcă discuția asta mă face să mă simt prost", s-ar putea să-i determini să tacă. E posibil să te provoace: „Deci vrei ca țara să fie plină de negri?" Nu trebuie să te implici în dispută. Poți evita, spunând: „Nu vreau să vorbesc despre asta; nu vreți să continuați discuția după program, vă rog? Mulțumesc".

- Cum voi proceda? Voi spune clar că nu le împărtășesc punctele de vedere și voi încerca să-i opresc să și le exprime când sunt în preajma lor. Ai făcut deja asta. Dacă se mai întâmplă, va trebui să stabilești granița despre care am vorbit mai sus, dar probabil că în cele din urmă vor înțelege. Nu ai de gând să le asculți comentariile rasiste și cu atât mai puțin să participi la ele.
- Ce șanse am să-mi ating scopul? Destul de mari, dacă mă limitez făcându-i să înțeleagă că nu sunt de acord cu ei și oprindu-i să mai poarte asemenea discuții cu mine de față. Dacă îmi propun să-i fac să se răzgândească, am cam tot atâtea șanse câte aș avea să fiu ales papă. Corect!
- Care sunt riscurile? Dacă mă implic într-o dispută serioasă, există riscul de a stârni un conflict tare neplăcut.

Acest lucru ar face rău echipei. Dacă procedez cum am zis mai sus, risc să fiu hărțuit fiindcă nu le împărtășesc punctul de vedere, dar asta nu mă deranjează prea tare, fiindcă în birou sunt suficiente persoane ca mine la care pot apela în caz de nevoie. În orice caz, singura soluție ar fi să nu spun nimic, și nu vreau să fac asta, fiindcă atunci discuțiile vor continua. N-am de gând să ascult chestiile astea în fiecare pauză. Foarte bine. Ai gândit strategic și ai făcut ce era nevoie pentru a stabili niște granițe clare, fără a stârni conflicte inutile.

Gândirea strategică necesită practică și n-o să-ți reușească întotdeauna. Amintește-ți să fii generos și respectuos cu tine când o dai în bară, având grijă totodată să recunoști că ai greșit și să înveți din propriile greșeli. Încearcă să nu te refugiezi într-o blamare exclusivă, precum: „Sunt niște idioți, ei au început cearta, nu eu". Când lucrurile nu merg cum ar trebui, străduiește-te să gândești logic și analitic după eveniment.

Evită lupta pentru dreptate. Asta înseamnă să realizezi când discuția încetează să mai fie un schimb de păreri utile și se transformă într-un conflict în care nici una dintre părți nu o ascultă cu adevărat pe cealaltă, ambele fiind interesate doar să-și reafirme poziția, pe un ton din ce în ce mai agresiv, pornind de la presupunerea greșită că în cele din urmă partea adversă îi va înțelege. Nu se va întâmpla așa, deoarece nici una dintre părți nu ascultă. Încearcă să-ți păstrezi calmul pentru a recunoaște acest moment, iar apoi poți să te retragi. Fraze precum: „Mi se pare că trebuie să convenim că nu suntem de acord" sau „M-am cam aprins. Te rog, putem să ne oprim aici și să reluăm discuția mâine?" funcționează mai bine. Nu te poți certa cu cineva care refuză să se certe.

Dacă ai simțul umorului, folosește-l pentru a-ți exprima punctele de vedere fără a stârni conflicte. Altminteri nu încerca asta în toiul disputei. Dacă vrei să faci pe cineva să se răzgândească, procedează cu blândețe. Chiar și o schimbare măruntă contează. Dacă încerci să forțezi pe cineva să-și schimbe părerea la 180 de grade, n-o să meargă. Veți ajunge fie la un conflict, fie la acceptare pasivă. În ambele cazuri, interlocutorul nu-și va fi schimbat părerea cu adevărat.

Confruntarea emoțiilor

Emoțiile sunt simple trăiri și aparțin persoanei care le trăiește, nimănui altcuiva. Nu sunt corecte sau greșite. Prin urmare, ascultă-le și încearcă să le respecți, indiferent că sunt ale tale sau nu. Nu încerca să le schimbi sau să le contrazici. Va fi dificil dacă sunt direcționate spre tine.

Wendy, prietena lui Lenny, spune că e supărată fiindcă el nu poate ieși cu ea în oraș de Valentine's Day întrucât trebuie să participe la o ședință. Lenny ar putea să-i taie scurt vorbele lui Wendy înainte ca ea să termine ce are de spus. Nu-i așa că exagerează? La urma urmei, e cariera lui în joc. Nu are de ales și nu-i corect să fie criticat atunci când nu este el de vină. Însă Wendy nu l-a criticat, cel puțin nu la început. Ea doar spune ce simte, și anume că e supărată fiindcă nu va avea parte de seara la care spera. Sunt emoțiile ei, nu ale lui Lenny – îi aparțin ei. Ar fi mai bine ca Lenny să le asculte. Dacă așteaptă ca Wendy să exprime tot ceea ce simte, intervenind doar cu sunete prin care își arată sprijinul și regretul, Wendy va ajunge probabil la concluzia că, oricât ar fi de regretabil, sarcina de serviciu are prioritate.

Dacă Wendy se înfurie și îl acuză pe Lenny că nu-i pasă de relația lor, ce e de făcut? Soluția este ca Lenny să separe emoțiile de fapte. Ar putea să-i spună: „Draga mea Wendy, îmi pare rău că s-a întâmplat așa. Înțeleg că ești supărată. Și eu sunt supărat. Așteptam cu nerăbdare seara aceasta și îmi pasă foarte mult de noi doi. Însă chiar nu am ce face. Nu e corect din partea lor că ne-au făcut asta". Lenny a validat sentimentele lui Wendy și totodată a subliniat din nou faptul că n-are de ales.

„Prostii, dacă ți-ar fi păsat cu adevărat, i-ai fi spus prostului ăluia de șef că aveai deja un alt program", răspunde Wendy.

Lenny nu o contrazice, dar nici nu e de acord cu ceva ce nu e adevărat: „Îmi pare rău că așa simți, dar chiar îmi pasă". În cazul de față, Lenny este pe o poziție sigură deoarece vorbește despre sentimentele lui, care îi aparțin. Wendy poate să nu-l creadă, dacă vrea, dar nu-i poate spune că n-are dreptate. Lenny este arbitrul propriilor trăiri.

Emoțiile pe care le trăim trebuie tratate cu același respect, mai ales de noi înșine. Dacă descoperi că te insulți pe tine pentru existența lor, înfruntă-l pe agresorul care s-a instalat în mintea ta (și care te agresează numai pe tine): „Ah, sunt un prost, sunt prea sensibil, nerecunoscător, demn de milă, egoist etc." Chiar așa? Ai vorbi așa cu prietenul tău cel mai bun? Nu? Atunci nu vorbi așa nici cu tine însuți.

Încearcă să-ți analizezi grijile și sentimentele ca și cum ai fi un prieten înțelept și plin de compasiune. Emoțiile tale îți transmit ceva real? Au un înțeles sau doar simți nevoia să te liniștești? Dacă așa stau lucrurile, fă-o cu respect și empatie.

Prin urmare, pune la îndoială faptele, dacă vrei, dar nu și trăirile. Ascultă-le, împărtășește-le, întâmpină-le. Dacă te simți copleșit de avalanșa neîncetată de emoții din partea altcuiva, aceasta e o altă problemă despre care vom discuta mai târziu.

Împărtășire

Multe persoane toxice încearcă să te izoleze (vezi „gaslighting" în Capitolul 2). Asta reprezintă pentru ele o sursă majoră de putere. Antidotul este evident. Nu te lăsa dat la o parte. Împărtășirea trăirilor, dilemelor sau a neplăcerilor cu prietenii și familia nu constituie o formă de trădare, deși o persoană toxică va susține contrariul. Marea majoritate a soțiilor vorbesc cu prietenele lor despre soții lor, deseori împărtășindu-le detalii destul de intime, iar eu nu văd nimic rău în asta, atâta vreme cât nimeni nu este ostracizat, umilit sau agresat. În schimb, bărbații, cel puțin în Marea Britanie, par să țină pentru ei chestiunile personale, cei mai mulți preferând să discute cu amicii lor pe teme precum sport, politică, locuri de muncă și bani. Ar putea fi un stereotip sexual, dar această caricaturizare a sexelor mi s-a confirmat de fiecare dată la cabinet.

Prin urmare, nu fi supărat că soția vorbește despre tine cu prietenele: măcar așa știi că n-o s-o ia razna din cauza ta.

Nu fi supărată fiindcă soțul nu discută niciodată despre tine cu prietenii lui: asta nu înseamnă că nu te iubește, ci, pur și simplu, e bărbat. Băieți, dacă nu vă place asta, n-o mai faceți pe durii și căutați pe cineva de încredere cu care să vorbiți.

Dacă ai ajuns la capătul răbdării și nu știi ce să faci, vorbește. Dacă ai de-a face cu o persoană toxică, apelează la puterea grupului. Nu-ți sugerez să răspândești zvonuri răutăcioase, ci pur și simplu refuză să te izolezi, să devii o victimă; împărtășește-ți experiențele și sentimentele, pornind de la ideea că înțelepciunea unui grup este mai vastă decât cea a oricărui individ în ceea ce privește înfruntarea situațiilor dificile (vezi „Testul de supraviețuire în deșert" de la pagina 41).

Îți atrag însă atenția asupra a două aspecte. În primul rând, spiritul tribal și subiectivitatea naratorului. Când povestești unui prieten o situație emoțională, vorbește din perspectiva ta. Subiectul povestirii tale nu are ocazia să-și împărtășească versiunea. Așadar, întrucât informația primită nu este obiectivă, e posibil ca nici răspunsul să nu fie obiectiv. În orice caz, confidentul tău va avea tendința firească de a vedea lucrurile din punctul tău de vedere, deoarece este de partea ta, face parte din „tribul" tău. Având în vedere că nu are de-a face cu persoana despre care vorbești, sunt șanse mari ca perspectiva lui să fie o versiune extremă a versiunii tale, doar dacă este înzestrat cu o perspicacitate remarcabilă. O frază precum: „Ce nemernic, trebuie să divorțezi de el" te va ajuta să te simți mai bine, însă nu constituie neapărat cel mai bun sfat.

În al doilea rând, puterea grupului te poate proteja de persoane și situații toxice, însă poate avea și un efect dăunător. Dacă persoana dominantă din grup, liderul *de facto*, are o motivație secretă nu tocmai binevoitoare, vei fi presat de grup să acționezi într-un mod pe care altminteri l-ai considera mult prea dur (vezi textul despre paznicii sadici din Capitolul 2, din secțiunea „Oamenii în grupuri").

În esență, trebuie să decizi singur ce e de făcut și să acționezi corespunzător. Te rog să mă crezi, cei care te îndeamnă la acțiuni extreme ar da bir cu fugiții în condiții nefavorabile.

A oferi ajutor

A-i ajuta pe alții este unul dintre cele mai satisfăcătoare și mai eliberatoare gesturi pe care le poți face, mai ales în domenii pe care le consideri extrem de dificile. În opinia mea, zicala: „Suntem cei mai buni profesori în privința lucrurilor pe care avem cea mai mare nevoie să le învățăm" este cum nu se poate mai adevărată. Dacă ești atent, poți învăța foarte multe despre cum să le faci față persoanelor și situațiilor dificile tocmai când te afli în preajma cuiva din această categorie.

Dar nu te grăbi și nu căuta întotdeauna soluția evidentă. Fii alături de persoana care are nevoie de ajutorul tău în loc să-i oferi sfaturi superficiale care nu-i sunt de nici un folos și pe care nu le-a cerut.

Susținerea afectuoasă, atenția, empatia și disponibilitatea de a juca rolul unei „cutii de rezonanță" sunt la fel de prețioase pentru persoana afectată de toxicitate pe cât de inutile sunt sfaturile clișeizate. Poate fi dificil să-ți dai seama când e bine să te implici și când e mai bine să stai deoparte până când ți se cere ajutorul. Nu este nimic rău în a-ți oferi sprijinul, dar dacă ești refuzat, retrage-te, având grijă ca persoana să știe că la nevoie îi stai la dispoziție. Și nu încerca să rezolvi problema cuiva până când respectivul nu recunoaște că are o problemă și te-a rugat sau a acceptat să o rezolvi. Cineva care se grăbește să vină în ajutor poate cauza haos în viața celui pe care încearcă să-l ajute, impunându-i soluții pentru situații pe care nu le înțelege bine. Când vrei să ajuți pe cineva, el este șeful, nu tu; ține cont de ce anume are nevoie, nu de ce crezi tu că i-ar fi util.

Când un prieten îți cere sfatul, nu te supăra dacă nu ține cont de el. De multe ori e necesar să auzi o altă soluție ca să-ți dai seama că trebuie să faci exact pe dos. Sfatul tău nu trebuie să fie un ordin, ci doar un articol din meniu pe care prietenul tău îl poate alege sau nu. Iar dacă aflu cumva că, atunci când prietenul tău nu ți-a urmat sfatul, care în retrospectivă s-a dovedit corect, i-ai reproșat: „Ți-am zis eu! Numai tu ești de vină", voi avea grijă să fii aspru pedepsit. Nu putem ști dinainte ce se va întâmpla; prin urmare, evită să te dai deștept după producerea evenimentului.

Responsibilitate

Oamenii toxici încearcă adesea să te facă responsabil pentru emoțiile lor (vezi „Confruntarea emoțiilor" la pagina 150) și pentru modul în care se comportă. Prin urmare, un principiu important în interacțiunile cu ei este să decizi în sinea ta care sunt limitele responsabilității pe care ți-o asumi.

S-ar putea să pară destul de evident, dar ești responsabil de spusele și faptele tale. Dacă faci lucruri antisociale sau spui ceva răutăcios, indiferent dacă ești în stare de luciditate sau ebrietate, trebuie să te aștepți la critici și, posibil, la sancțiuni. Mai puțin evidente sunt lucrurile pentru care nu ești responsabil. Ești responsabil pentru cuvintele pe care le rostești și pentru intenția din spatele lor, dar nu ești responsabil pentru modul în care va răspunde cineva la ele.

Alison îi spune prietenului ei, Rory, care își toarnă al patrulea pahar de gin tonic din dulapul ei cu băuturi, că se simte inconfortabil fiindcă el bea atât de mult. Rory își iese din fire, aruncă paharul spre Alison și sparge o oglindă. A doua zi spune că a interpretat vorbele lui Alison ca pe o critică adusă lui personal. O acuză că îl umilește și îl etichetează ca fiind alcoolic.

Este esențial ca Alison să nu accepte așa ceva, oricât de mult ar vrea să-l liniștească pe Rory. Ceea ce spusese ea cu o seară înainte era corect și obiectiv. Faptul că Rory i-a interpretat cuvintele într-un mod foarte îndepărtat de intenția ei era responsabilitatea lui, nu a lui Alison. El trebuie să plătească oglinda, deoarece a aruncat paharul care a spart-o. „Dar tu m-ai făcut să-l arunc fiindcă m-ai înfuriat", susține Rory. Mm-mm, în nici un caz. Gândește-te mai bine. Reacția ta la cuvintele unei persoane e problema ta, nu a ei. Tu ai aruncat paharul, tu plătești oglinda. Iar dacă povestea se repetă, am terminat-o cu tine. În acest moment, Alison trebuie să dea dovadă de fermitate. Nu este loc pentru negocieri sau discuții: ești de acord sau pleci. Este un lucru dificil pentru o persoană care nu e obișnuită să-și susțină poziția, dar dacă lasă de la ea, problema se va agrava cu timpul.

Stabilește foarte clar care sunt limitele responsabilității tale, mai ales dacă te afli adesea în prezența unei persoane care le pune la încercare. Fă un test cu cineva de încredere, care nu e implicat în problemă și e suficient de sigur pe sine pentru a te pune la încercare dacă e nevoie. Oricât ai fi de afectuos și de generos, nu-ți asuma responsabilitatea pentru nici o altă persoană matură în deplinătatea facultăților mentale. Poți să-i ajuți și să-i sprijini, dar nu răspunzi pentru ei. Mare atenție la oricine încearcă să te facă responsabil pentru faptele sau trăirile sale.

9

Principii specifice pentru a înfrunta toxicitatea

În capitolul anterior am examinat câteva principii generale, valabile în cazul tuturor relațiilor, care sunt însă deosebit de importante când ai de-a face cu persoane care îți pun în pericol sănătatea fizică și emoțională. În capitolul de față, pornind de la aceste principii, voi prezenta o serie de acțiuni și tehnici specifice pe care le poți folosi dacă te confrunți frecvent cu persoane și situații toxice.

Seninătate

Este un lucru de care ai nevoie din belșug dacă petreci mult timp în prezența unei persoane toxice sau într-un loc toxic. Secretul dobândirii ei este însumat în mod sugestiv de *Rugăciunea seninătății* din excelentul program în 12 pași[1] (inițial așternută în scris de teologul Reinhold Niebuhr), care sună în felul următor:

---

1 Set de principii călăuzitoare folosite în diferite programe pentru vindecarea de dependențe sau a diverse probleme comportamentale. (n. tr.)

Doamne, dă-mi seninătatea de a accepta lucrurile pe care nu le pot schimba,
Curajul de a schimba lucrurile pe care pot să le schimb
Și înțelepciunea de a ști să le deosebesc.

Indiferent dacă ești sau nu religios, cred că ești de acord că această rugăciune pune punctul pe i. Totul se reduce la strategie. Nu are sens să urli la furtună, precum regele Lear. Viața nu e dreaptă, iar oamenii cu atât mai puțin. Fiecare om fericit caută ocazii, nu corectitudine, iar reciproca este de asemenea valabilă: dacă ești hotărât să obții ce meriți, vei deveni o persoană acră și nefericită. În orice caz, ai grijă ce-ți dorești; având în vedere că nu ești perfect, ceea ce meriți s-ar putea să nu fie același lucru cu ceea ce vrei. Adevărul e că viața este surprinzătoare; uneori îți oferă fără să ceri, iar alteori te doboară. Descurcă-te cât de bine poți. Nimic nu durează o veșnicie: „O să treacă și asta", indiferent dacă e bine sau rău.

Mai presus de orice, nu-ți pierde timpul încercând să-l pedepsești pe autorul nefericirii tale. Pedepsele nu au nici un efect (vezi Capitolul 1), poate doar în cazul celor care nu le merită. Persoana toxică pe care încerci să te răzbuni nu-și va învăța niciodată lecția, va privi eforturile tale ca pe o provocare. Și sunt șanse să se pricepă mai bine decât tine la pedepse, având în vedere că și-a petrecut o bună parte din viață perfecționându-și abilitățile de manipulare și intimidare.

Deci cum rămâne cu ultimul rând din *Rugăciunea seninătății*? Cum dobândești această înțelepciune, dacă nu prin darul lui Dumnezeu? După mine, răspunsul este să o iei ușor, să reflectezi, să împărtășești și să fii un bun observator. Vei avea o putere de convingere mult mai mare dacă abordezi situația cu blândețe și atingi în loc să zgâlțâi, sugerezi în loc să ceri, respecți în loc să critici. În cele din urmă, va fi nevoie să ridici capul sus și să-ți susții punctul de vedere (vezi „Responsabilitatea" în Capitolul 8), dar nu intra în dispute decât dacă n-ai încotro.

În majoritatea situațiilor, ideea este să fii un bun negociator. Asta înseamnă să respecți punctul de vedere al celuilalt, dar să-ți exprimi și tu părerea și să găsiți o poziție care, deși nu este cea ideală, poate fi acceptată de amândoi. Este un lucru foarte important și merită din plin să-ți exersezi abilitățile de negociere. După cum am spus mai devreme, asta presupune să accepți că greșești și să înveți din propriile greșeli. Observă cuplurile care se pricep la negociere și învață de la ele. Manifestă respect, ascultă, fac sugestii, se schimbă dacă e nevoie, perseverează și fac compromisuri. Aceste cupluri sunt capabile să negocieze un compromis, cum ar fi ce vor face în ziua respectivă, chiar și fără cuvinte, comunicând prin mișcarea sprâncenelor, umerilor sau a mâinilor ori prin onomatopee și ajungând la o părere reciproc satisfăcătoare în doar 20 de secunde. E minunat să le urmărești. Învață de la ei.

Dacă persoana toxică nu e dispusă să negocieze, atunci trebuie să te gândești ce sancțiuni îi poți aplica. Asta nu înseamnă să o pedepsești, ci să refuzi să fii o victimă. Dacă partenerul nu face nimic pentru tine, de ce gătești pentru el și îi speli hainele? Nu trebuie să te enervezi, ci doar să te exprimi cu fermitate: „Știi, m-am tot gândit și mi se pare că eu fac totul prin casă. Nu vreau să am resentimente față de tine și tu nu meriți așa ceva, având în vedere că până acum n-am spus nimic. Ce-ar fi să-ți speli singur hainele și să pregătim cina cu rândul?“

Da, partenerul va fi îngrozit; și ce dacă? Cel puțin ai deschis o discuție despre rolurile voastre. Având în vedere că nu l-ai criticat, n-are de ce să se apere; are nevoie doar de motivația de a negocia.

Ai toți așii în mână. Nu e ușor, dar cu cât lași mai mult lucrurile în voia lor, cu atât va fi mai greu. Relația se poate schimba, însă doar dacă nu mai eviți cu orice preț să tulburi apele.

În acest caz, trebuie să accepți starea de fapt, fiindcă a fost alegerea ta.

A te înțelege și a te accepta pe tine

Cu scuze față de cei care nu sunt pasionați de sport, în cele ce urmează voi folosi o metaforă inspirată din golf, întrucât mi se pare cât se poate de potrivită. Până când nu înveți să scoți mingea din groapa cu nisip, o să tot nimerești în ea. Dar odată ce înțelegi care-i șmecheria, nu va fi nevoie să o folosești prea des.

Același lucru este valabil în ce privește persoanele și situațiile toxice. Vei continua să te împiedici de ele până când vei învăța cum să le faci față. Motivul este simplu: persoanele toxice exploatează vulnerabilitatea. Prin urmare, dacă vrei să interacționezi cu ele într-un mod mai eficient, mai întâi trebuie să-ți identifici vulnerabilitățile. Printre acestea putem enumera: lipsa respectului de sine, lipsa de încredere, timiditate, naivitate, o fire iertătoare, generoasă, indulgentă, tendința de a-i pune pe ceilalți pe primul loc, o aversiune empatică față de suferința altora sau oricare alte trăsături enumerate în Capitolul 2. Îți va fi greu să stabilești granițe și să le protejezi; de asemenea, poate nu simți că meriți ceva deosebit.

Când începi un proces de introspecție, este important să fii sincer cu tine însuți. Cum ești în realitate (nu cum ai dori să fii)? Dacă ai o rudă sau un prieten binevoitor și empatic, onest și înzestrat cu discernământ, întreabă-l care crede el că sunt punctele tale vulnerabile. De ce te simți într-un anumit fel în prezența persoanei sau a situației pe care o consideri toxică? Îți amintești niște experiențe anterioare sau te identifici prea mult fie cu persoana toxică, fie cu cei afectați de ea?

Nu te complica. La fel ca majoritatea lucrurilor din viață, probabil că natura și vulnerabilitățile tale nu sunt nici deosebite, nici foarte greu de înțeles. Odată ce ți-ai făcut o idee despre tine însuți, încearcă să te schimbi puțin.

Folosește principiul „Devii ceea ce faci" (vezi Capitolul 8). Comportă-te puțin altfel decât de obicei, mergi în direcția opusă naturii tale. Așadar, dacă în mod normal nu crezi că meriți ceva anume, încearcă să fii puțin mai solicitant. Nu te aștepta să fii aprobat de persoana față de care ți-ai schimbat comportamentul. De asemenea, nu te aștepta să-ți iasă foarte bine de la început; deocamdată doar exersezi. Dacă încercarea ta de a stabili niște granițe dă greș, nu considera acest lucru un eșec, ci un succes, întrucât ai început să exersezi schimbarea. Dacă perseverezi, în cele din urmă vor apărea și rezultatele.

Vei observa că folosesc destul de des cuvinte precum „puțin“ sau „ușor“. Asta înseamnă să fii realist. Va dura ceva timp să faci schimbările considerabile de care ai nevoie.

Și iată principiul cel mai important: acceptă-te așa cum ești. Firește, ai diverse slăbiciuni și vulnerabilități, ca toată lumea, și este important să faci eforturi pentru a schimba ceea ce dorești. Dar nu te subestima crezând că ești plicticos sau lipsit de valoare, fiindcă nu e adevărat. Ești pur și simplu tu însuți. Unii o să te placă, alții nu, dar asta nu-ți diminuează cu nimic valoarea sau faptul că meriți tot ce e mai bun. Trebuie să te tratezi pe tine însuți cu respect. Altminteri vei purta mereu în frunte o etichetă prin care le transmiți persoanelor toxice: „Folosește-mă și agresează-mă, fiindcă sunt lipsit de valoare“. Va fi greu dacă nu ești obișnuit să te afirmi, dar poți începe acum.

Să înțelegem persoanele toxice

Vom discuta în Capitolul 11 despre cum poți face față diferitelor tipuri de persoane toxice, iar pentru moment voi spune doar că trebuie să înțelegi cu cine ai de-a face. Nu este suficient să supraviețuiești; e necesar să înțelegi persoana cu care te confrunți. De ce se comportă astfel? Care sunt motivațiile ei? Cunoști câte ceva despre trecutul ei sau poți afla detalii fără să fii deranjant?

A înțelege omul cu care ai de-a face îți va oferi un indiciu despre comportamentul pe care să-l adopți în interacțiunea cu el. De pildă, să spunem că are tendința de a se purta agresiv cu tine, mai mult decât cu oricine altcineva. Știi că a fost hărțuit pe când era la școală. Oare îi amintești de persoana care l-a hărțuit? Se simte intimidat de tine? Ar ajuta dacă ți-ai pune în valoare blândețea și lipsa de agresivitate? Dacă, pe de altă parte, individul este agresiv deoarece a învățat din copilărie că agresivitatea este cea mai bună metodă de a obține ceea ce dorește, poate soluția este să îi ții piept și să stabilești niște granițe clare.

Ce vreau să spun este că merită să încerci să înțelegi ce se află dincolo de toxicitatea oamenilor care îți fac rău, pentru a-ți dezvolta o strategie eficientă de interacțiune cu ei. Ca de obicei, sfătuiește-te cu cineva în care ai încredere.

Momentul potrivit

Oamenii toxici tind să te înfurie, să te sperie, să te supere sau toate trei. Când simți asta, nu este cel mai potrivit moment pentru a reacționa, întrucât sunt șanse mari să răspunzi emoției tale, nu necesităților situației. Orice ar fi, nu reacționa când ești sub influența alcoolului. Va fi dificil, întrucât a spune ce crezi pare o idee grozavă după ce ai băut câteva pahare. Dar nu face asta niciodată. Deși consumul de alcool îți sporește încrederea în tine, judecata și abilitatea vor fi la cote scăzute. Când ai de-a face cu o persoană toxică, ai nevoie de toată înțelepciunea.

Ori de câte ori e posibil și potrivit, dacă te lupți cu emoții puternice, așteaptă până a doua zi pentru a discuta despre problema pe care ți-a pus-o persoana toxică. Dacă îți cere ceva, amân-o cu un răspuns precum: „Nu știu ce să zic, acum sunt cam obosit ca să mă gândesc la asta, haide să vorbim mâine". Nici asta nu-i ușor, fiindcă până atunci nu vei mai avea curaj și vei fi tentat să uiți pentru a evita conflictul. În orice caz, va fi greu să aduci din nou problema în discuție, întrucât momentul și contextul vor fi trecut deja. Dar dacă cineva te-a supărat rău, mai ales dacă nu a fost pentru prima dată, mai devreme sau mai târziu va trebui să rezolvi problema. Poți folosi fraza: „Bill, m-am gândit la ce mi-ai spus aseară. M-a supărat și nu cred că asta a fost intenția ta, dar nu vreau să fac ce mi-ai cerut și mi-e greu să te refuz". În felul acesta nu-l acuzi pe Bill de nimic și nici nu-l jignești în vreun fel, ci doar îți exprimi emoțiile și îți stabilești cu exactitate granițele.

În schimb, dacă te simți relativ calm și stăpân pe tine, profită de ocazie. Momentul în care problema apare va fi o ocazie de a schimba ceva. Cuvântul „criză" vine din greaca veche și înseamnă „un moment al oportunităților și deciziilor". Când survine o criză, așa cum se mai întâmplă în preajma oamenilor toxici, devii conștient de ocazia pe care o ai.

Să presupunem că Martin și-a supărat câțiva prieteni cu o remarcă jignitoare. Aceștia protestează, iar Martin vine la tine și spune: „Nu se poartă corect cu mine. Tu ești prietenul meu, fii alături de mine". Ai putea face asta pentru a calma situația, dar ai pierde o oportunitate. Prin urmare, îi poți spune: „Martin, știu că nu asta a fost intenția ta, dar ce ai spus n-a sunat prea bine. Știi, uneori cam enervezi oamenii". Apoi, când mai apare cineva care îl critică pe Martin, îl poți ruga să înceteze. În acest fel, i-ai atras atenția lui Martin asupra unui lucru important și totodată ai dat dovadă de loialitate față de el.

În astfel de situații, încearcă să-ți păstrezi calmul și să acționezi strategic. Dacă, la rândul tău, ești supărat, furios sau iritat, amână pe a doua zi.

Comentarii

Una dintre cele mai eficiente metode de a schimba un comportament este să-l descrii. Cei care practică psihoterapia de grup folosesc frecvent această strategie. Dacă eu conduc un grup în care situația începe să devină tensionată, voi întrerupe discuția, spunând: „Hei, ia stați așa. Vreau să mă asigur că am înțeles. Ed tocmai a spus că se simțea furios fiindcă Thomas n-a venit săptămâna trecută. Thomas n-a spus de ce a lipsit, dar a sugerat că Ed e un idiot fiindcă se plânge. Corect?" De obicei, în această situație, Thomas va da puțin înapoi, întrucât comportamentul lui pare exagerat când este prezentat astfel. Dacă Ed nu face decât să tune și să fulgere împotriva lui Thomas, va urma un schimb previzibil de insulte care nu duce nicăieri. Însă dacă descriu interacțiunea dintre ei, le ofer amândurora ocazia de a o examina în mod obiectiv în loc să continue cearta.

Dacă grupul este deosebit de agitat, voi striga ca să acopăr vacarmul: „Gata. Ce se întâmplă aici?" Ed va răbufni „Thomas e un idiot", iar Thomas va răspunde „Nu, nu eu,

Ed e un idiot!" „Nu, nu asta am vrut să spun", răspund eu. „Ce se întâmplă aici, de fapt? Ieșiți din grup și haideți să vedem care e problema."

Acest lucru tinde să pună capăt avalanșei de insulte, făcându-i pe oameni să se gândească, să se uite la ei înșiși și la ceilalți. Probabil Julie va spune: „Cred că Ed era supărat fiindcă săptămâna trecută s-a despărțit de prietena lui și nu cred că lui Thomas îi place să fie criticat".

Astfel, discuția continuă într-o direcție mult mai productivă, în loc să degenereze într-o calomniere reciprocă. Acesta a fost un exemplu privind felul în care poate interveni un terapeut pentru a schimba dinamica unui grup de psihoterapie, însă poți folosi aceeași strategie și când ai de-a face cu o persoană dificilă. Când cineva îți vorbește pe un ton agresiv, poți răspunde la rândul tău într-un mod agresiv și injurios, dar mai util ar fi să oprești disputa de la început cu un comentariu precum: „Simon, mi se pare că ești supărat pe mine. Care e problema?" Odată ce ai informații reale de la Simon, nu doar un flux de emoții, există șanse mult mai mari să interacționezi cu el într-un mod eficient. În orice caz, când Simon își dă seama că răspunde cu furie, se va calma și se va comporta mai rezonabil.

Când situația devine atât de tensionată încât nu mai știi ce e de făcut, încearcă să pui capăt discuției. O metodă bună ar fi să te detașezi și să vorbești despre modul în care tu înțelegi ce se întâmplă. Aș putea scrie o carte întreagă pe această temă, dar momentan reține următorul lucru: dacă observi că interacțiunea se îndreaptă într-o direcție periculoasă, oprește-te. Înainte de a merge mai departe, încearcă să înțelegi unde te afli.

Caută frumusețea

Conflictele și toxicitatea sunt urâte. Dacă te concentrezi doar pe acest aspect al vieții, lumea întreagă va părea un loc întunecat. Prin urmare, în măsura posibilului, concentrează-ți atenția pe altceva sau pe altcineva. Frumusețea există pretutindeni în jurul tău; găsește-o. Voi vorbi despre conștientizare în secțiunea despre mindfulness din Capitolul 10. Momentan, reține următoarele: privește dincolo de ce se află în vecinătatea imediată și găsește ce este frumos acolo.

Prin frumusețe nu mă refer neapărat la frumusețea fizică, deși, fără îndoială, este un lucru cât se poate de plăcut. Mă refer la oameni, locuri și situații care te ajută să-ți relaxezi umerii, să-ți descrețești fruntea și să respiri ușurat. Gândește-te la asta, iar când ai un necaz, alege în mod activ să te orientezi către lucruri și persoane pe care le consideri frumoase. S-ar putea să ți se pară imposibil dacă ești nevoit să stai în același birou cu Neil, o persoană toxică, dar nu e așa. Poți rezolva treburile cu el fără să-i spui nimic despre tine. Apoi, când sosește Sylvia, doamna fermecătoare responsabilă cu prepararea ceaiului, stai de vorbă cu ea câteva clipe. Dispoziția ei senină și generoasă reprezintă antidotul pentru toxicitatea colegului tău. Cinci minute cu Sylvia te protejează de cinci ore cu Neil. Iar la sfârșitul zilei, gândește-te la Sylvia, nu la Neil.

Când te întrebi cine ești și cine ai vrea să fii, identifică-te (vezi Capitolul 1) cu Sylvia. Poate nu ocupă cel mai important post din companie, însă ea reprezintă lumea ta reală dacă interacționezi cu ea și alte persoane ca ea, nu cu cele precum Neil. Dacă Dumnezeu ar reveni pe Pământ, ar servi ceaiul, nu ar conduce ședința.

Preia controlul

Mulți oameni toxici, în special cei cu tendințe explozive, sunt imposibil de controlat. N-are rost nici măcar să încerci, fiindcă n-o să te bage în seamă. Nu trebuie să-ți asumi responsabilitatea pentru individul în cauză, ci pentru propria persoană, pentru alegerile și situația ta. De pildă, dacă Sarah își varsă nervii în toate direcțiile, poți încerca să o calmezi sau să-i faci pe plac, dar atunci nu vei înțelege care e problema. Sarah face ce știe; situația e irelevantă, nu trebuie să o corectezi. E mai bine să te îndepărtezi, să o lași să țipe la altcineva și să faci ceva mai productiv. Este suficient un comentariu de rămas-bun precum: „Îmi pare rău că te simți așa, Sarah, dar trebuie să plec. Sunt în întârziere". Astfel ai preluat controlul asupra situației și ai redus încărcătura toxică. Nu te-ai implicat într-o luptă cu cineva care a mai făcut asta și nu ți-ai permis să devii o victimă.

Unde îți este centrul controlului (vezi Capitolul 1)? Emoțiile și acțiunile tale depind de cuvintele și acțiunile celorlalți? În caz afirmativ, trebuie să te gândești strategic la ce anume poți schimba. Ești răspunzător de starea ta de spirit, nu de ceea ce simt alții în ce te privește; nu este treaba ta ca aceștia să fie întotdeauna mulțumiți de tine sau să te aprobe. Să presupunem că ești alcoolic și ai început un proces de recuperare. Nu accepta o invitație la cină cu un grup de băutori înrăiți. Desigur, vor fi dezamăgiți de tine, dar nu pentru multă vreme; o să le treacă și în curând vor accepta ce faci și ce nu. Iar dacă nu acceptă, înseamnă că nu-ți sunt cu adevărat prieteni. Momentan, concentrează-te asupra prietenilor care sunt la rândul lor în curs de recuperare (de pildă, merg la întâlnirile Alcoolicilor Anonimi) și lărgește-ți orizonturile mai târziu, când te vei simți mai puternic. Astfel, îți formezi un centru al controlului în interiorul tău; schimbă mediul înconjurător conform nevoilor tale în loc să acționezi în funcție de așteptările celorlalți.

Onestitate și obiectivitate

Încearcă să reduci cât mai mult judecățile de valoare și evită atribuirile greșite (vezi Capitolul 1). Problema nu este că Veronica e o persoană imposibilă. Care dintre comportamentele ei sunt imposibil de acceptat și ce strategie vei folosi în interacțiunile cu ea? Faptul că este o persoană bună sau rea nu e treaba ta; ceea ce contează este cum răspunzi la provocările ei. Dacă îți pierzi timpul enervându-te în legătură cu comportamentul ei inacceptabil, problema este supărarea ta. Lumea e plină de oameni precum Veronica și de oameni care, uneori, se poartă ca ea. Descurcă-te.

Când interacțiunile cu cineva par să decurgă întotdeauna la fel și îți provoacă un sentiment de disconfort, examinează îndeaproape care este rolul tău. Amintește-ți că stă în natura umană să ne vedem propriile acțiuni într-o lumină favorabilă, iar acțiunile celorlalți, într-una proastă. Prin urmare, cu empatie și respect pentru propria persoană, încearcă cu adevărat să observi cu ce ai contribuit la problemă. Dacă ai prieteni onești și nepărtinitori, roagă-i să te ajute să înțelegi ce anume poți schimba ca să nu te mai simți rău de fiecare dată când vorbești cu Veronica.

Folosirea disonanței cognitive

Și asta ține de strategie. Simplul fapt că Paula vrea ca un lucru să fie adevărat nu înseamnă că așa și este. Dacă întotdeauna îți cere să faci câte ceva pentru ea, s-ar putea să creadă că ești dependent de prietenia ei și nu ai nimic mai bun de făcut. Prin urmare, fii indisponibil, ocupă-te de alte lucruri când se așteaptă să fii în preajma ei, ia legătura cu alți prieteni și roagă-i să te sune când ești cu ea. E mult mai eficient decât să te simți copleșit de solicitările ei, să te enervezi sau să devii defensiv. Înțelegi convingerea aflată la baza comportamentului ei dificil și îi transmiți dovezi contrare, iar astfel ai șansa de a-i zdruncina siguranța că unica ta menire în viață este să-i stai la dispoziție.

Când amplifici disonanța cognitivă a persoanei pe care o percepi drept toxică, este necesar ca în același timp să o diminuezi pe a ta. Motivul pentru care ai tendința să te lași copleșit de pretențiile Paulei este că nu te crezi valoros sau îndreptățit să fii așa cum ești. Simți în permanență nevoia de a-ți demonstra utilitatea. Prin urmare, renunță la asta și ia legătura cu prietenii care te acceptă așa cum ești.

Vorbește cu tine însuți așa cum ai vorbi cu prietenul tău cel mai drag. Crezi că ar alerga mereu de colo-colo să-i facă pe plac celui mai apropiat invadator al granițelor? Dacă nu, atunci să nu ai nici tu astfel de așteptări de la tine. Pentru a reduce disonanța cognitivă, demonstrează-ți că ai dreptul la mai mult decât presupuneai până atunci. Ca de obicei, ar fi foarte util dacă ai vorbi cu niște prieteni de nădejde.

Căutarea unui sens

Dacă Viktor Frankl a fost capabil să găsească un sens în faptul că era încarcerat într-un lagăr nazist (vezi pagina 36), și tu poți găsi un sens în situația ta. Privește contextul mai amplu al vieții tale. Dacă ești blocat într-un loc de muncă toxic, încearcă să înțelegi de ce lucrezi acolo. În cazul în care câștigi mai mult decât salariul minim, înseamnă că muncești fie pentru a avea un viitor mai bun, fie pentru a-ți oferi deocamdată mai mult ție și/sau familiei. Nu slujba toxică reprezintă sensul vieții tale, ci toate celelalte lucruri. Când ești la lucru, fă ce trebuie, dar nu te defini prin acel loc de muncă; concentrează-te asupra celorlalte lucruri din viața ta.

Sau poate îți iubești cariera, dar nu-ți plac evenimentele sociale. E în regulă, înseamnă că ești un introvertit a cărui contribuție la această lume se bazează în principal pe munca lui. Nu trebuie să fii de toate pentru toată lumea. Găsește un sens în viața ta, nu în viața persoanei care cred ceilalți că ar trebui să fii.

Evitarea prejudecăților

După cum am spus deja, prin definiție, prejudecățile nu se pretează argumentelor raționale. Dacă-ți plac prejudecățile, e problema ta. Sunt multe persoane cărora nimic nu le face mai mare plăcere decât ca alții să fie de acord cu părerile lor superficiale. Când alții sunt de acord cu tine într-o anumită privință nu înseamnă că acel lucru este adevărat. Dacă ai de-a face cu prejudecăți care îți provoacă disconfort, care constituie o amenințare pentru tine sau pentru convingerile tale esențiale, îndepărtează-te cât mai mult de ele. Găsește un alt subiect, mai puțin incendiar, sau caută interlocutori cu o perspectivă mai amplă. Sau, dacă nu ai încotro, nu te implica în discuție. Oferă răspunsuri neutre.

Reducerea neajutorării învățate

În această etapă, poate merită să recitești secțiunea despre neajutorarea învățată din Capitolul 2. Dacă ți se pare că n-ai nici un control asupra vieții tale, a lumii sau a celorlalți, acesta este un sentiment pe care l-ai învățat, probabil de la o vârstă fragedă. Pentru a te schimba, trebuie să înveți contrariul. Asta înseamnă, în primul rând, să accepți că nu e vina ta. Ești așa cum ești dintr-un motiv bine întemeiat. Dar te poți schimba implicându-te într-o serie de experimente cognitive, care au rolul de a verifica în mod practic teoria ta, conform căreia nu ai nici o influență asupra lumii.

Ipoteza ta este: „Nimeni nu va fi interesat de ceea ce vreau". Să vorbim, de pildă, despre ce veți mânca la cină.

Ești sigur? Ai întrebat? Încearcă. „Ce-ar fi să mâncăm pește diseară?" Să spunem că nu-ți răspunde nimeni. Nu lăsa lucrurile așa. Pune întrebări. E cineva alergic la pește? Sau ceilalți pur și simplu nu te-au auzit fiindcă nu sunt obișnuiți să-ți exprimi părerea? Cel mai probabil, întrebările tale suplimentare pentru a afla de ce propunerea ta a fost ignorată vor duce la acceptarea ei. Așadar, în acest caz, ipoteza ta cade.

Oamenii sunt interesați de ceea ce vrei. Gândește-te la asta. Perseverează. Nu accepta presupunerea că alegerile tale nu vor conta niciodată. Continuă să te lupți cu ea până când se schimbă. Aceasta constituie baza terapiei cognitiv-comportamentale (TCC), cel mai frecvent folosită și, posibil, cea mai eficientă formă de psihoterapie din ziua de azi. Descoperă convingerile și presupunerile care nu-ți sunt de folos și luptă-te cu ele. Dacă nu reușești să scapi de propria neajutorare învățată cu ajutorul prietenilor, poate trebuie să mergi la medicul de familie pentru a-i cere o trimitere la un specialist în terapie cognitiv-comportamentală.

Contestarea perfecționismului

Îți mai amintești studiul realizat în insula Wight despre atașament și abandon din Capitolul 2? Cel puțin în ce-i privește pe părinți, binișor e mai bine decât perfect. Acest lucru e valabil în mai multe domenii din viață, deși eu aș modifica puțin expresia și aș spune că foarte bine e mai bine decât perfect. E în regulă să ne străduim să fim cât mai buni în ceea ce facem, dar să nu ne așteptăm să atingem perfecțiunea; acest lucru nu este nici realist, nici trainic. Persoana care aleargă primul kilometru la maraton în patru minute nu va câștiga cursa.

Acest principiu este deosebit de important în interacțiunile cu persoanele toxice, întrucât acestea tind să profite de imperfecțiunile tale pentru a dobândi putere și influență asupra ta ori pentru a te agresa. Ceea ce trebuie să reții este lucrul următor: o critică referitoare la un lucru pe care l-ai făcut sau nu, oricât ar fi de întemeiată, nu constituie un atac la valoarea ta ca persoană. Poți să-ți recunoști o slăbiciune sau un eșec și să fii în continuare o persoană valoroasă.

Dacă individul cu care ai de-a face lansează un atac asupra ta ca persoană, de pildă spunând „Nu ești bun de nimic", acesta este un agresor sau un sadic, cu excepția cazului în care există circumstanțe atenuante. Îndepărtează-te, dacă poți. Asemenea atacuri la integritatea sau valoarea unei persoane în sine, nu a unui comportament reprezintă un abuz. În opinia mea, trebuie să te gândești foarte bine înainte de a ierta și a uita un asemenea atac, așa cum ai face dacă ți-ar da cineva un pumn în nas. În plus, iartă-l numai dacă și-a recunoscut gestul și și-a asumat responsabilitatea.

Interacțiunile cu familia

Dacă familia nu-ți oferă iubire, concentrează-te pe cei care te iubesc. Poate îți mai amintești când am spus că o mamă este cineva cu o atitudine maternă. Dacă persoana care se poartă cu tine asemenea unei mame – adică îți oferă sprijin și iubire necondiționată – este cel mai bun prieten al tău, apelează la ea în caz de nevoie. Dacă un părinte nu face decât să ia, să ceară și să te manipuleze, fără să-ți ofere nimic, ia în calcul construirea unor granițe mai solide în relația cu el. În cazul în care ești creștin, poți respecta porunca de a-ți cinsti părinții fără să te lași agresat sau abuzat de ei. În acest context, a cinsti pe cineva înseamnă a-l respecta ca pe o ființă umană care nu merită nici mai mult, nici mai puțin decât tine. E în regulă să menții un simț al datoriei față de părinți, cu condiția ca asta să nu te îmbolnăvească. Când decizi ce e de făcut, ține cont și de tine. Detașează-te de situație și încearcă să privești echilibrul nevoilor dintr-o perspectivă obiectivă. Dacă Helen, din introducerea acestei cărți, ar proceda în acest fel, și-ar da seama foarte clar că nu trebuie să-și ducă mama la medic, ci să-i spună să ia un taxi. Nu e soluția ideală pentru mamă, dar e o soluție echilibrată.

Ce am putea spune despre căsniciile toxice? În această privință, mă izbesc de un zid de cărămidă și nu-ți pot da un sfat clar. Eu însumi fiind creștin, nu voi sfătui pe nimeni să-și părăsească soțul sau soția, întrucât ar reprezenta un sacrilegiu din partea mea. Dar gândește-te puțin la legămintele de căsătorie creștine (ori la cele din credința sau filosofia ta). Se spune că trebuie „să-ți iubești și să-ți prețuiești" partenerul. Firește, toți avem zile mai proaste, dar dacă în căsnicia ta nu mai e de mult vorba de iubire sau prețuire, această relație nici nu reprezintă o căsătorie, în accepțiunea mea.

Nu-ți spun să pleci, dar dacă partenerul de viață nu îți oferă decât suferință și probleme de sănătate, atunci pune piciorul în prag, fă o criză, insistă să se schimbe, cere-i să apeleze la ajutor specializat (cum ar fi un specialist în terapie maritală). După mine, aceasta este singura metodă de a da o șansă căsniciei voastre. Dacă ești o persoană religioasă și te simți tulburat fiindcă dorești să-ți părăsești partenerul, dar nu ți se pare corect, vorbește cu preotul sau cu liderul tău religios. Dacă obișnuiești să te rogi, roagă-te acum. Dacă nu ești religios, vorbește cu niște prieteni înțelepți și echilibrați – nu cu cei care au tendința să caute soluții extreme sau facile, ci cu cei care ascultă și se pricep să cântărească lucrurile cu maturitate. Nu te izola sub premisa că problemele din căsnicie trebuie să rămână confidențiale. Nu e nimic neloial în a căuta sprijin și înțelepciune nepărtinitoare.

Cum îți formezi calități de lider și cum interacționezi cu liderii slabi

Când vorbesc despre calități de lider, nu mă refer doar la a fi un lider la locul de muncă sau în sport. Mă refer la abilitatea de a-i motiva pe ceilalți și a-i convinge să adopte modul tău de gândire. Am descris pe scurt acest lucru în Capitolul 3 și nu mă voi repeta. Dar când ai de-a face cu persoane și situații toxice, trebuie să ai putere de convingere, atât în ce privește schimbarea comportamentului celui sau celor care îți creează probleme, cât și să-i determini pe alți membri ai grupului să ți se alăture.

Nu încerca să câștigi bătălii rapid. E mai bine să conduci oamenii către schimbare într-un ritm lent. Dă-le sugestii cu blândețe, dar în mod repetat și consecvent. Dacă audiența nu este prea receptivă, nu complica lucrurile și propune-ți scopuri realiste. Dacă situația nu este prea dificilă sau dacă, dimpotrivă, te confrunți cu o criză reală, poți încerca să fii puțin mai ambițios și mai autoritar, însă dacă ai de-a face cu un amestec de oportunități și pericole, fii circumspect și dă dovadă de flexibilitate.

De pildă, dacă deții un magazin care merge bine, iar personalul este mulțumit și motivat, poți adopta un stil de conducere destul de autoritar. În mod similar, dacă izbucnește un incendiu, nu ai timp să ajungi la o viziunea comună; este o criză și trebuie să preiei conducerea. Dar dacă magazinul nu merge prea bine și unii vânzători sunt mai pricepuți decât alții (așa cum se întâmplă cu majoritatea magazinelor), ai nevoie de o abordare mai flexibilă, bazată pe sfaturi. Același lucru e valabil când ai de-a face cu grupuri de persoane în viața de zi cu zi. Dacă grupul nu este foarte receptiv, în majoritatea situațiilor care nu presupun o criză, e preferabil să-i convingi treptat și cu blândețe.

Apropo, blândețea nu înseamnă să te lași folosit de alții; ai grijă să-ți formulezi așteptările cu claritate și să le transmiți angajaților că vrei ca acestea să fie îndeplinite. Principalul motiv pentru care oamenii dau greș în ceea ce fac este că nu li se oferă informațiile care le-ar permite să reușească.

Liderii slabi sunt foarte distructivi, din cauza puterii pe care o dețin. Dacă ai un șef toxic și poți alege, adică dacă plecarea nu ți-ar cauza dificultăți reale, ție sau familiei, pleacă.

Știu că te-am sfătuit, în general, să eviți judecățile de valoare, dar în cazul liderilor, cred că merită de multe ori să faci o excepție. Am tratat suficiente persoane muncitoare și care nu aveau obiceiul de a judeca, însă care se îmbolnăviseră din cauza unui șef groaznic. Le-am învățat că e necesar să-și evalueze conducerea și să acționeze corespunzător.

Dacă poți supraviețui unui șef groaznic cu ajutorul câtorva dintre strategiile menționate, totul e bine și frumos, dar dacă șeful tău îți provoacă neplăceri grave, vezi ce alte opțiuni ai în loc să suferi în tăcere. Există persoane foarte toxice care ajung în posturi de conducere, iar numărul și gradul lor de toxicitate par să crească odată cu nivelul de autoritate.

Acestea fiind spuse, există și lideri extraordinari: binevoitori, grijulii, creativi și înțelepți. Dacă întâlnești un asemenea lider, rămâi în preajma lui cât mai mult timp. În opinia mea, un șef bun este mai valoros decât niște bani în plus la salariu.

Există și posibilitatea de a prelua conducerea asupra șefului. E posibil ca șeful pe care-l consideri toxic să se simtă copleșit și să dea din mâini și din picioare fiindcă e pe cale să se înece în propria lui incapacitate de a face față solicitărilor sau fiindcă se simte el însuși presat de propriul șef groaznic. Dacă observi o modalitate mai bună de a proceda, îi poți sugera asta într-un mod diplomatic. S-ar putea ca oferta ta de a prelua o sarcină să conducă, pe termen lung, la reducerea volumului de muncă și a agitației, întrucât va fi mai puțină confuzie, iar atât tu, cât și șeful tău veți fi mulțumiți.

Când e vorba despre șeful tău, caută oportunități, nu corectitudine. Fă-ți o strategie (da, știu că mă repet, dar aceasta este cheia). Ce îți sugerez nu va fi ușor și nu se va întâmpla peste noapte, dar pe termen lung merită. Persevereză, chiar dacă e dificil. Ia-o încet. Ține evidența încercărilor, a ceea ce funcționează și ce nu. Evaluează-ți progresul și sărbătorește succesele.

Cum faci față locurilor toxice

Locurile unde predomină atitudini, obiceiuri și persoane toxice suferă, în general, din cauza conducerii necorespunzătoare, prin urmare sunt la fel de valabile principiile menționate mai sus. Când cultura unei organizații este toxică la nivel instituțional, ești un om mort. Singurul sfat pe care ți-l pot da este să pleci. Însă e chiar așa de rău în toată compania? Oare nu sunt și oameni buni, care au ales să tacă din cauza neajutorării învățate? Poate, împreună, vă puteți izola de nebunia din jur, amintindu-vă unii altora că sunteți în regulă. În mod remarcabil, un grup de persoane poate supraviețui în împrejurări cumplite dacă membrii se sprijină unul pe altul. Acesta este motivul pentru care, la multe locuri de muncă solicitante, există grupuri de sprijin pentru angajați (am participat la asemenea grupuri în cadrul unor instituții de sănătate mentală și fiecare a fost foarte util). Prin urmare, indiferent dacă locul tău de muncă este toxic sau doar extrem de solicitant, cere-le ajutorul colegilor care au aceleași idei și păreri ca tine. Conectează-te mai ales cu persoane care te fac să te simți mai bine. Oferă-ți sprijinul mai întâi, nu aștepta ajutor de la alții.

Detoxifiere și detoxifianți

Astfel ajungem la oamenii care îi vindecă pe cei care au avut de suferit de pe urma locurilor și a persoanelor toxice. Caută-i, iar odată ce i-ai găsit, rămâi în preajma lor, dacă e posibil. Cine sunt ei? Oamenii care au iubire de dăruit.

În acest context, nu este vorba despre iubirea romantică, ci despre iubirea față de semeni. După cum am menționat în Capitolul 3, acești oameni sunt buni ascultători, sinceri, afectuoși (fără a fi posesivi) și empatici. Îi iubesc și le pasă cu adevărat de ceilalți, iar influența lor pozitivă este imensă. Un psihoterapeut foarte bun poate avea aceste calități, dar poți găsi astfel de oameni oriunde. Stai în preajma lor, dacă e posibil, și apelează la ei când treci prin momente dificile. Alege-ți prietenii cu atenție și încearcă să te împrietenești cu oameni care au cel puțin câteva dintre calitățile menționate, măcar o parte din timp. Nimeni nu e perfect, toți avem neajunsurile noastre, dar când alegi oamenii cu care îți petreci timpul, caută în principal bunătatea.

Caută situații și locuri cu potențial vindecător și încearcă să le incluzi în viața ta. Dacă masajul te face să te simți mai bine, mergi din când în când la masaj, chiar dacă abia îți permiți din punct de vedere financiar, iar cei trei copii mici nu-ți prea lasă timp liber. Este în interesul tuturor să îți păstrezi integritatea emoțională, iar dacă ai nevoie de un anumit lucru pentru a face față toxicității din viața ta, nu mai sta pe gânduri.

Ești cumva vindecător? În caz afirmativ, ai tendința de a atrage numeroase persoane vulnerabile și oameni cu probleme, mai ales pe cei cu un ego fragil, narcisist (vezi Capitolul 4 – este vorba despre oamenii care au o stimă de sine atât de redusă, încât depind de aprobarea celorlalți, iar asta lasă impresia că ar fi egoiști și vanitoși). Dacă ești un vindecător, ferice de tine; ai un loc asigurat în rai. Dar pentru a nu ceda sub povara solicitărilor emoționale, ai nevoie de niște granițe solide. Trebuie să spui „nu“ din când în când. Nu poți vindeca pe toată lumea și nu poți îndrepta toate nenorocirile. Mergi în ritmul tău și tratează-te ca pe o resursă valoroasă. Nu face promisiuni fără acoperire; de pildă, nu spune nimănui că îi vei rezolva problemele. Sunt problemele lui, nu ale tale. Oferă ajutor și sprijin, dar nu încerca să faci totul. Promite mai puțin decât poți oferi în mod normal și fă-ți timp pentru tine.

Cum faci față situațiilor toxice

Cu siguranță nu pot vorbi despre toate tipurile de situații toxice cu care te vei confrunta vreodată, dar pe lângă cele menționate în ultimele două capitole, iată câteva indicații. Concentrează-te asupra posibilităților, asupra a ceea ce poți realiza, nu asupra perfecțiunii. Reține că binișor poate fi mai bine decât perfect, întrucât este real și trainic. Fă alegeri active în loc să te lași abuzat ca o victimă pasivă. În caz de priorități conflictuale, caută un echilibru. Alege o direcție care, deși poate nu e cea ideală, este suficient de bună pentru a face față ambelor aspecte.

Nu fi părtinitor decât din voința și alegerea ta. De fapt, fă un efort conștient în acest sens. Deși e neplăcut când cineva refuză să fie de partea ta, poți accepta acest lucru dacă persoana este consecventă. Când cineva începe să denigreze un prieten sau o cunoștință comună, o frază precum: „Te înțeleg, dar eu nu sunt de partea nimănui, din principiu“ tinde să-l oprească, mai ales dacă îl asiguri că ai face la fel dacă partea cealaltă ar spune ceva despre el. Fă-te cunoscut ca o persoană neutră, o Elveție a prietenilor.

Pe cât posibil, stai la distanță de furie și ură. Dacă tu ești cel încercat de asemenea emoții, acceptă-le, dar nu încerca să acționezi în baza lor. Emoțiile nu sunt corecte sau greșite. Ferește-te de prejudecăți – nu le adopta și nici nu te contrazice cu alții în această privință. Dacă ești mâhnit, nu încerca să alungi tristețea, s-o eviți, să te gândești la altceva, să o grăbești sau să o încadrezi într-un orar. Simte-o, caută sprijin, vorbește despre ea, dacă poți. Plângi când îți vine să plângi, dar nu te judeca dacă nu o faci. Dacă nu încerci activ să scapi de mâhnire, totul va decurge așa cum e mai bine pentru tine. Apoi așteaptă. La timpul cuvenit (nu pot spune când anume), vei dobândi libertatea de a simți tristețe la alegere, în loc să te lași răpus de ea în mod aleatoriu, la momente nepotrivite. În cele din urmă, vei ajunge într-un punct în care tristețea va fi amestecată cu fericirea și cu toate celelalte emoții ce alcătuiesc viața.

10

Gestionarea toxicității – trei aptitudini importante

Confruntarea cu toxicitatea este dificilă și necesită multă energie, hotărâre și perseverență. Pentru a supraviețui, trebuie să fii capabil să rămâi calm și prezent, să nu te implici în bătălii inutile și să combați jocurile. În capitolul de față, îți voi arăta cum poți atinge aceste trei obiective folosind principiile relaxării, prezenței și analizei tranzacționale.

Relaxarea

Exercițiile de relaxare pot fi extraordinar de utile dacă le practici constant, permițându-ți să reduci surescitarea până la un nivel care îți permite să funcționezi cu calm într-un mediu toxic. Exercițiul următor a fost prezentat și în cărțile mele anterioare, așadar e posibil ca unii dintre voi să-l cunoașteți deja. Există numeroase variațiuni pe această temă; rămâne doar să o găsești pe cea mai potrivită pentru tine. În comerț sunt disponibile diverse exerciții de relaxare, sub formă de fișiere audio, pe CD-uri sau alte dispozitive media. Unele persoane consideră utile tehnicile de yoga învățate în cadrul unui grup. Alții sunt de părere că îi ajută mai mult un set de instrucțiuni scrise, fiindcă le permite să facă exercițiul în ritmul lor, folosind propriile imagini mentale.

În cele ce urmează, îți voi prezenta o singură tehnică, pe care mulți dintre pacienții mei o consideră utilă, mai ales cei care se confruntă cu relații dificile. Indiferent în ce mod decizi să faci exercițiul, ideea esențială este că necesită multă practică. Sunt persoane care și-l însușesc foarte rapid, dar pentru majoritatea oamenilor, exercițiile de relaxare constituie o pierdere totală de timp. Deoarece nu-și fac efectul imediat, majoritatea se simt dezamăgiți și renunță să mai practice. Unii se simt chiar mai rău la început, deoarece când faci ceva și ai impresia că nu-ți iese, ai tendința de a te simți tensionat. Dar eu te rog să continui, deoarece odată ce îți însușești tehnica, vei constata că îți schimbă viața. Nu o face pentru a obține beneficii imediate, ci ca pe o investiție în viitorul tău. Persoanele care beneficiază cel mai mult de pe urma exercițiilor de relaxare sunt cele care le pun în vârful listei de priorități și le practică minimum o jumătate de oră în fiecare zi, indiferent de împrejurări. Dacă auzi că orașul tău va fi distrus de un meteorit în următoarele 24 de ore, refugiază-te pe dealuri, dar nu înainte de a face exercițiul de relaxare.

Privind în urmă, eu am practicat zilnic exerciții de relaxare timp de trei ani, nu fiindcă eram neobișnuit de anxios, ci întrucât credeam, la fel ca acum, că pot fi utile tuturor. Abia după o lună de practică am început să observ beneficii – și am avut nevoie de cel puțin trei luni pentru a ajunge în etapa în care am reușit să le folosesc când mă simțeam stresat, cum ar fi înainte de un examen, deoarece un exercițiu de relaxare e cel mai greu de practicat atunci când ai cea mai mare nevoie de el, în momente extrem de stresante. Cam în 2–3 ani, am ajuns în etapa în care nu mai aveam nevoie de exercițiu, deoarece puteam trece imediat într-o stare de relaxare. Probabil eu funcționez mai încet, fiindcă mi s-a spus că intervalul mediu pentru a ajunge la acest nivel este de aproximativ nouă luni, cu toate acestea, am ajuns până la urmă acolo și viața mea s-a schimbat. Îți spun din proprie experiență că merită din plin timpul și efortul investit.

Un exercițiu de relaxare

Dedică exercițiului 20–30 de minute.

1. Găsește un loc potrivit pentru a te relaxa. Ideal ar fi să te întinzi în pat sau să stai pe un scaun comod, dar e bine oriunde, cu condiția să fie liniște și să nu te deranjeze nimeni. Odată ce te familiarizezi cu exercițiul suficient cât să ți se pară util, fă-l când mergi la culcare.
2. Încearcă să-ți golești mintea de gânduri, în măsura în care poți.
3. Respiră de trei ori, foarte încet și foarte adânc (inspiră și expiră câte 10–15 secunde).
4. Vizualizează o imagine neutră. Un exemplu ar fi cifra 1. Nu alege un obiect sau o imagine cu semnificație emoțională, cum ar fi un inel sau o persoană. Lasă imaginea să-ți umple mintea. Vizualizeaz-o cu ochii minții, colorează-o, încearcă s-o vezi 3D; dacă e un cuvânt, repetă-l în gând de mai multe ori. Continuă până îți umpli mintea.

5. Schimbă treptat imaginea și vizualizează-te într-o situație calmă și plăcută, cum ar fi un loc preferat sau o scenă fericită din trecut. Fii prezent cu toate simțurile: observă, ascultă, miroase și gustă. Petrece puțin timp acolo.
6. Devino treptat conștient de corpul tău. Observă toate tensiunile din corp. Ia fiecare grupă musculară în parte și încordeaz-o, apoi relaxeaz-o de câte 2–3 ori fiecare. Procedează astfel cu degetele, mâinile, brațele, umerii, fața, pieptul, abdomenul, fesele, coapsele, gambele și labele picioarelor. Fii conștient de contrastul dintre senzația de relaxare și tensiunea musculară pe care o simțeai înainte. După ce ai terminat, stai puțin în această stare relaxată. Dacă nu ești relaxat, nu-ți face griji, deocamdată doar exersezi.
7. Dacă faci exercițiul în timpul zilei, ridică-te încet și revino la treburile tale. Dacă practici înainte de culcare, rămâi în pat până ațipești (asta se va întâmpla când vei avea experiență; dar ține minte, la început e posibil să nu meargă).

În ce privește pasul 5, vreau să-ți atrag atenția că nu este vorba despre o simplă vizualizare, ci despre o experiență multisenzorială. Haide să-ți arăt. Să spunem că te vizualizezi pe o splendidă plajă din Caraibe. Minunat. Dar nu e suficient. Din ce direcție bate vântul? Bate constant sau în rafale? Cum te simți când soarele este acoperit de un nor? Se face mai răcoare? Ce miros are nisipul înfierbântat de soare, ce miros are loțiunea de plajă? Nisipul e fin sau aspru? Ce sunet scot valurile? Ce gust are băutura ta? De la ce distanță începe iarba? Vezi palmieri pitici sau cocotieri înalți? În al doilea caz, nucile de cocos sunt maro sau verzi?

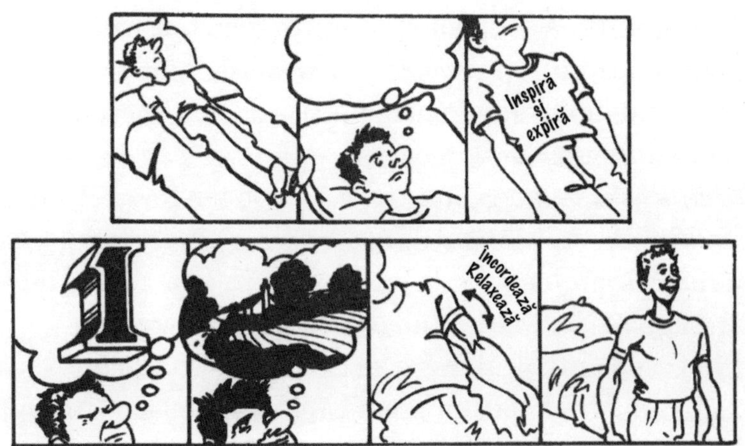

Figura 9. Exercițiu de relaxare

Trebuie să fii prezent cu toate simțurile. Pentru asta e nevoie de multă practică.

Ia-o ușor și amintește-ți să exersezi. În cele din urmă, va avea efect – și atunci vei fi mult mai capabil să faci față dificultăților cu care te confrunți.

Mindfulness

Cititorii cărților mele anterioare vor constata că readuc în discuție acest subiect. Motivul? Joacă un rol esențial în dobândirea unei stabilități reale, indiferent cu ce sau cu cine te confrunți. Mindfulness sau terapia comportamentală bazată pe mindfulness (MBCBT) este o tehnică foarte eficientă.

Mulți ar spune că reprezintă mai mult decât atât – un stil de viață. Mindfulness sau prezența conștientă este un fel de a fi inspirat din filosofia budhistă și preluat de mișcarea terapiei cognitive. Aici îl voi prezenta pe scurt; dacă te interesează conceptul, îți sugerez să investești într-unul dintre excelentele texte din domeniu scrise de un expert. Eu ți-aș recomanda una dintre cărțile: *Mindfulness de zi cu zi: Oriunde vrei să mergi, acolo ești deja* de Jon Kabat-Zinn sau *Mindfulness: A Practical Guide to Finding Peace in a Frantic World* [Midnfulness: Ghid practic pentru a găsi pacea într-o lume agitată] de Mark Williams și Danny Penman.

În esență, mindfulness este extraordinar de simplu, dar poate fi dificil de pus în practică. După cum vezi, totul se reduce la practică. Există doar două principii importante. Primul este să rămâi prezent. Nu zăbovi asupra evenimentelor din trecut, cu excepția cazului în care vrei să înveți ceva bun din ele. Există un moment potrivit pentru a reflecta și a învăța din experiențe, dar nu în mod repetitiv, nu mânat de resentimente și, mai presus de toate, fără să te concentrezi pe nedreptate. Odată ce perioada de reflectare te-a condus la concluziile potrivite, revino imediat în prezent. Nu mai reexamina trecutul decât dacă se întâmplă ceva nou sau se schimbă ceva care necesită reevaluare.

De asemenea, nu te gândi la viitor decât atunci când faci planuri concrete. Odată ce planul este gata, revino imediat în prezent. Oricum, lucrurile despre care îți faci griji nu se vor întâmpla, în schimb se vor întâmpla altele și te vei putea ocupa de ele la momentul respectiv, indiferent despre ce ar fi vorba. Obiceiul tău nefericit de a rătăci prin trecut și prin viitor reprezintă o serie de mituri create de perspectiva ta distorsionată asupra lucrurilor. Singura realitate este clipa prezentă; prin urmare, trăiește-o. Asta înseamnă să fii cu adevărat conștient de situația ta și de mediul înconjurător, de tot ceea ce simți și percepi. Ce culoare au florile pe lângă care tocmai ai trecut, cum sună cântecul păsărilor, ce culoare au cărămizile casei din fața ta? Lista de senzații care îți stau la dispoziție e lungă dacă ești într-adevăr conștient și le observi.

Al doilea principiu al mindfulnessului este renunțarea la luptă. Altfel spus, acceptă ceea ce există și nu poate fi schimbat. Pentru a trăi viața, trebuie să încetăm să ne mai opunem. Prin urmare, nu te mai lupta cu trecutul, viitorul, nedreptatea, oamenii, instituțiile, simptomele și, mai presus de orice, cu incapacitatea ta de a le oferi doar ceea ce merită celor care te oprimă sau celor pe care îi iubești.

Soluția conștientă în ce privește relațiile cu persoanele toxice este să le trăiești. Stresul și problemele care apar atunci când te afli în prezența unei persoane toxice constituie, în mare măsură, rezultatul faptului că te confrunți cu aceasta. Nu-ți face bine să fierbi de mânie; așa că exersează, pentru a reduce agitația emoțională. În unele arte marțiale orientale se folosește ideea de a-ți învinge dușmanul dând impresia că i te supui. Dacă ai nenorocul să fii atacat de cineva cu un cuțit, cel mai bun lucru pe care-l poți face este să stai în fața unui perete. Când agresorul ajunge foarte aproape de tine, fă repede un pas în lateral, lăsându-l să intre cu capul în zid. Oponentul tău s-a învins singur datorită refuzului tău tăcut de a te lupta cu el. Pentru a învinge sau, cel puțin, pentru a supraviețui întreg în confruntarea cu cineva toxic, nu trebuie să te angajezi într-o bătălie, ci dimpotrivă. Asta nu înseamnă să te lași abuzat, ci să rămâi nemișcat în fața toxicității în loc să te agiți fără rost. Dacă trebuie să-ți aperi poziția, fă acest lucru cu calm și fermitate. Refuzul tăcut de a-ți schimba poziția este mult mai eficient decât strigătele la care excelează majoritatea persoanelor toxice.

Știu că e mai ușor de spus decât de făcut, dar a accepta oamenii în mod conștient, oricât ar părea de dificil, te ajută mult mai mult decât să te lupți cu ei și, în mod paradoxal, îți oferă șanse mult mai mari de a-ți îmbunătăți situația. Există șanse mai mari să faci pe cineva să se răzgândească dacă îi sugerezi cu calm o idee decât dacă te implici într-o bătălie intelectuală. Odată ce te familiarizezi cu această metodă, deseori celălalt va crede că ideea este a lui. Mindfulness înseamnă o stare de calm interior care îți permite să faci față cel mai bine dificultăților. Iar dacă stai alături de o persoană toxică, vei avea parte de ele din plin.

La fel ca tehnicile de relaxare, mindfulness necesită practică. Ia una dintre cărțile menționate, mergi la niște cursuri de mindfulness, fă rost de un CD audio despre mindfulness sau alte resurse. Și exersează constant.

Cum faci față jocurilor

Poate că în acest moment ar fi bine să revii puțin la secțiunea despre jocuri din Capitolul 2, numai dacă nu ai o memorie mult mai bună decât mine. Voi discuta subiectul aici, și nu în capitolul următor deoarece nu numai jucătorii folosesc această manevră. Așa procedează majoritatea oamenilor toxici, deși poate mai rar decât jucătorii înverșunați.

Dacă te simți adesea pus într-o poziție inconfortabilă, însă nu prea îți dai seama de unde provine această senzație și nu știi cum să refuzi sau să protestezi fără să pari exagerat, probabil ești captiv în jocul altcuiva. O caracteristică esențială a jocurilor este că sunt subtile, greu de recunoscut, mai ales pentru cei care văd situația din afară. Însă sunt croite cu atenție, astfel încât să te determine să faci ceea ce n-ai face din proprie inițiativă.

Oamenii se implică în jocuri datorită recompenselor pe care le primesc, acestea constituie răsplata pentru utilizarea cu succes a tacticii. Prin urmare, trebuie să înțelegi ce face jucătorul și care este recompensa lui. Acesta este motivul pentru care studiul jocurilor poartă numele de „analiză tranzacțională". Trebuie să înțelegi tranzacția, ce se petrece în realitate și scopul ei. Odată ce ai rezolvat acest lucru, e momentul să creezi antiteza, adică măsura pe care o vei lua pentru a-l împiedica pe jucător să obțină recompensa dorită.

Să revenim la Helen și mama ei, despre care am vorbit în introducere și în secțiunea despre jocuri din Capitolul 2. Mama își dă seama că Helen nu stă prea bine cu stima de sine și are impresia că nu merită mare lucru. La urma urmei, a ajuns așa din cauza educației neglijente și abuzive. Ea profită de aceste vulnerabilități, mizând pe sentimentul de vinovăție al lui Helen. Recompensele sale sunt puterea de a o folosi pe Helen după bunul ei plac, posibilitatea de a-și asigura compania acesteia fără a fi nevoie să-i dea ceva în schimb, faptul că are prioritate în raport cu soțul și prietenii lui Helen și economia de bani. Care sunt antitezele? Ia gândește-te puțin. Eu am ideile mele, dar e un exercițiu bun să-ți formezi singur o părere.

În opinia mea, Helen ar trebui, în primul rând, să renunțe la mitul că, dacă se străduiește suficient și este o fiică suficient de bună, mama ei își va arăta într-o zi dragostea și aprecierea față de ea. Nu, asta nu se va întâmpla. Dacă ar fi avut de gând așa ceva, ar fi făcut-o cu 30 de ani în urmă. Ca atare, Helen trebuie să-i spună mamei sale foarte clar ce va face și ce nu, iar când mama încearcă s-o facă să se simtă vinovată, Helen trebuie să refuze să recunoască orice sentiment de vinovăție, chiar dacă acesta este prezent. Aceasta reprezintă o antiteză; mama nu-și va primi recompensa pentru că se implică în jocul: „o să te fac să te simți vinovată". Când mama nu ajunge la spital „fiindcă n-aș fi fost în stare dacă tu nu ești acolo, să mă susții", Helen trebuie să dea din umeri și să răspundă: „Păi atunci ar fi bine să te reprogramezi, nu? Roag-o pe vecina ta, Phyllis, să meargă cu tine, dacă nu vrei să te duci singură".

Mama va fi îngrozită și nu va mai da nici un semn câteva zile sau săptămâni, după care Helen va primi un telefon de la Phyllis care-i va spune că mama nu prea mănâncă bine, e cam deprimată și ce are de gând să facă Helen în legătură cu asta?

Fii foarte atentă, Helen, fiindcă ești pe cale să fii atrasă din nou în joc. Roag-o pe Phyllis să-i telefoneze medicului de familie al mamei sau sugerează-i mamei să facă asta. Dar nu te duce să rezolvi problemele. Jucătorii înverșunați vor încerca în continuare să te supună voinței lor.

Nu e neobișnuit ca Helen să primească un telefon de la mama sau de la o vecină care să-i spună că mama a luat o supradoză de medicamente. N-aș zice că nu există nici un risc dacă Helen își menține poziția, dar pot spune următorul lucru: riscul este mult mai mare dacă Helen cedează. Dacă mama va reuși din nou să-și primească recompensa mărind miza, probabil că va continua să facă la fel de fiecare dată când Helen încearcă să impună niște limite. Opțiunea cea mai puțin riscantă este să alegi o limită potrivită (ai putea vorbi despre asta cu prietenii și cu cei dragi) și să o respecți.

Ceea ce spun s-ar putea să pară dur și chiar crud, dar nu-i așa. Ideea nu este ca Helen să se transforme dintr-o fiică ascultătoare într-o mitocană egoistă, fără inimă. Însă cred că trebuie să se considere pe ea la fel de importantă precum mama sa; nu mai importantă, dar nici mai puțin. Trebuie să se ocupe în egală măsură de nevoile mamei și de ale ei, iar pentru a găsi acest echilibru, e necesar să înțeleagă jocurile mamei și să folosească niște antiteze. Dacă ai nevoie de mai multe detalii, citește cartea lui Eric Berne *Jocurile noastre de toate zilele.*

Principiul care spune să-i tratăm pe toți ca și cum ar fi la fel de importanți este explorat mai profund în cartea *I'm OK, You're OK* [Eu sunt bine, deci tu ești bine] de Thomas Harris. Premisa este cuprinsă în titlu. Dacă nu vrei să respingi ipoteza că ești lipsit de valoare sau să demonstrezi că ești mai bun decât altcineva, ci pornești de la ideea că toți suntem în regulă, în pofida diferențelor dintre noi, vei deveni mult mai puțin vulnerabil la jocuri și la manipulare.

Nu vei mai judeca valoarea altora sau pe a ta și vei avea libertatea de a lua propriile decizii.

E o treabă dificilă. Cei care sunt jucători de o viață sunt foarte pricepuți. Nu te aștepta să se schimbe totul într-o clipă. Dar gândește-te la ce se petrece, la recompense, la posibilele antiteze și vorbește despre ele cu niște oameni de încredere.

11

Cum faci față diferitelor tipuri de oameni toxici

Principiile pe care ți le-am prezentat în ultimele trei capitole te vor ajuta să faci față oricărui tip de comportament toxic, dar e bine să revenim asupra tipurilor de oameni și de situații care tind să te afecteze, pentru a ne asigura că ai înțeles cum trebuie să procedezi în fiecare caz. Mă voi referi la aceleași personaje cu care am făcut cunoștință în Capitolul 4. Reia capitolul respectiv, dacă e nevoie.

Invadatorii granițelor

Firea lui George va ieși repede la iveală după ce îl întâlnești. Are o îndrăzneală ieșită din comun. Prin urmare, fii prudent. Cel mai ușor este să stabilești limitele de la început. Dacă refuzi să te lași convins de el, se va orienta spre cineva care e mai ușor de manipulat. Fii ferm și consecvent. Și ce dacă te etichetează drept o persoană egoistă și un prieten rău fiindcă nu te supui voinței lui? E mai bine decât să devii sclavul lui.

Dacă îl cunoști pe George de luni sau ani întregi, și în mod normal nu ești o persoană hotărâtă, e posibil ca George să-ți fi modificat deja granițele, considerând noua variantă ca pe ceva normal. Ești cel care nu refuză niciodată, face ceea ce i se cere, îi împrumută bani și nu primește nimic în schimb. Acum e mai greu să-ți redefinești granițele după dorința ta decât dacă le-ai fi stabilit cu fermitate la început, dar nu e imposibil. Vorbește sincer și clar. Nu inventa scuze, fiindcă George va vedea dincolo de ele sau va găsi o cale de a le invalida. O frază precum: „Nu, George, nu astăzi, sunt obosit și n-am chef" (presupunând că ești cu adevărat obosit, altminteri nu te preface, pur și simplu refuză) îi va provoca un adevărat șoc, dar rămâi pe poziție. „Haide, te rog, doar de data asta, e chiar important" poate fi întâmpinat cu o simplă scuturare din cap și un răspuns concis: „Nu, nu astăzi", pe când dacă ai încerca să inventezi o poveste pentru a scăpa de ce ți se cere, lucrurile ar fi mult mai complicate. Ai fi la cheremul lui George, fiindcă se pricepe foarte bine să demonteze scuzele.

Dacă vrei să profiți de această ocazie pentru a stabili niște granițe ferme, nu ezita; spune-i: „George, poți să-mi ceri în continuare lucruri, dar te rog, nu conta pe mine că o să fiu de acord. Vreau să am de ales".

Dacă momentan nu te simți în stare să-l înfrunți astfel, e în regulă, cu condiția ca de acum înainte să-ți păzești cu hotărâre granițele. În cele din urmă, George va înțelege și va merge să testeze granițele altcuiva.

Nucleele haosului

Dacă Mildred ți-e prietenă sau cunoștință, stai la distanță și nu-ți asuma nici o responsabilitate în locul ei. Același lucru e valabil, până la un punct, în ce-i privește pe membrii familiei, deși situația e mai dificilă când vorbim despre copii sau persoane care suferă de o boală mentală, precum și despre partenerul de viață. Pe cât posibil, Mildred trebuie să știe clar că e răspunzătoare pentru faptele sale și nu-ți vei asuma tu responsabilitatea pentru ele. Procedează astfel încă de la începutul relației sau prieteniei, ori de câte ori Mildred se comportă într-un mod distructiv și nepotrivit (e posibil ca la început să nu ți se pară nimic neobișnuit în comportamentul ei, dar cu timpul se va schimba). Acest lucru este crucial. Dacă Mildred ajunge să se bazeze pe tine să o scoți din bucluc, pentru a evita consecințele propriilor ei excese, riscul să se poarte iresponsabil crește.

Recunosc însă că s-ar putea să fie destul de greu. Unul dintre cele mai dificile aspecte ale activității mele a fost să mențin granițele în interacțiunile cu persoanele de acest gen cu care am lucrat. Când o anumită Mildred (menționez că am modificat detaliile cazului) m-a sunat de pe mobil să-mi spună că stătea pe pervazul unei ferestre, am avut nevoie de foarte mult curaj să nu mă năpustesc imediat către ea și să o readuc cu forța în siguranță. Nu o dată, în asemenea situații, am refuzat să sun la poliție sau să mă duc personal la locul respectiv; am preferat să-i spun cu fermitate pacientului să se întoarcă înăuntru și apoi să mă sune din nou pentru a-și face de urgență o programare. Mărturisesc însă că a fost foarte solicitant.

Presupunând că ești un specialist în domeniul sănătății mentale, apelurile de acest gen vor fi și mai dificile – și, firește, siguranța persoanei este esențială. Dar reține, pe termen lung, Mildred nu va fi în siguranță dacă îți asumi întotdeauna rolul de salvator. Nu deveni marioneta ei. Dacă Mildred este atât de haotică precum am descris în Capitolul 4, convinge-o să meargă la un psihiatru, dacă e posibil. Sau, și mai bine, dacă nu îți este o persoană apropiată, încearcă să convingi pe altcineva să o ducă, de preferat un membru al familiei. Dacă depinde de tine, trimite-o mai întâi la medicul de familie. Va trebui să mergi cu ea, deoarece, la prima vedere, nimic nu trădează furtuna din adâncuri. Dacă, de exemplu, Mildred ajunge la urgență după ce ia niște pastile, încearcă să vorbești cu medicul de gardă. Dacă Mildred are o persoană de contact în grupul de sănătate mentală din comunitatea ei, vei fi eliberat de responsabilitate, într-o oarecare măsură, în numeroasele momente de criză. Ca întotdeauna, nu te izola. Cere sfatul unor prieteni sau membri ai familiei și vorbește cu un medic când e nevoie de ajutor profesionist. Mai presus de orice, apreciază-te pentru ceea ce faci. Ești într-o situație îngrozitor de dificilă, în care nimeni nu reușește întotdeauna s-o scoată la capăt. Încearcă să schimbi modul în care reacționezi la drama și haosul provocate de Mildred, dar nu te aștepta să devii peste noapte un expert în gestionarea exceselor ei. Dacă simți că și tu ai nevoie de terapie pentru a face față situației, nu ezita. Pentru început, cere sfatul medicului de familie.

Agresori, leneși și vampiri energetici

Eu, pur și simplu, nu văd ce rost are să rămâi în preajma cuiva care se folosește de tine și cu atât mai mult a cuiva care te abuzează. Dacă ești în stare, te privește; cine știe, poate că Joel este soțul tău. Cu siguranță, nu te voi încuraja să divorțezi, cu excepția cazului în care ai decis asta. Dar dacă nu ești căsătorită cu Joel, trebuie să te întrebi ce caută acest om în viața ta. Există cumva niște presupuneri sau „fapte" care te mențin în această relație distructivă?

Dacă presupui că rolul tău în viață este să-i servești întotdeauna pe alții, indiferent cum te tratează ei, permite-mi să mă îndoiesc de corectitudinea acestei presupuneri. Viața înseamnă a dărui și a primi; e nevoie de un echilibru între cele două aspecte.

Spune-i lui Joel care sunt nevoile tale. Poate nu înțelege și, fiind bărbat, trebuie să-i spui de mai multe ori. În general, bărbații nu stau prea bine cu intuiția. Dar dacă Joel îți ignoră cu bună știință nevoile și în repetate rânduri, trebuie să te întrebi sincer ce sens are relația ta cu el. E inutil să speri că se va schimba și va deveni mai bun. Asta nu se va întâmpla. Dacă îl tai pe Joel de pe lista de prieteni, s-ar putea să fii mai singură o vreme, mai ales dacă duci o viață solitară, dar eu cred că e mai bine să n-ai nici un prieten decât să ai prieteni falși. Odată ce îl elimini pe Joel din viața ta, vei întâlni oameni mai darnici, dacă ai deschiderea necesară. S-ar putea să dureze o vreme, dar se va întâmpla. Până acum n-ai avut prieteni adevărați fiindcă n-ai avut loc pentru ei; Joel ocupa tot spațiul.

Joel, leneșul, are nevoie de instrucțiuni cu privire la ce vrei de la el, în cuvinte simple. Fii cât mai precis. Nu are sens să-l rogi să devină mai bun sau mai respectuos, să facă mai multe sau să fie mai puțin egoist. Nu va înțelege ce vrei de la el. Identifică exact cerințele tale, un minimum care-l poate face pe Joel să devină un prieten sau un partener valoros, precum: „Am nevoie să-mi spui ceva drăguț despre mine cel puțin o dată pe zi atunci când ești cu mine, să-mi mulțumești când îți ofer o cană cu cafea, să plătești în jumătate din cazuri când ieșim în oraș și să nu mă insulți în public". Chiar dacă îi dai indicații precise, va avea nevoie de detalii suplimentare. De pildă, poate că Joel are alte standarde decât tine cu privire la ce înseamnă o insultă. Va uita sau va reveni la vechile obiceiuri, așa că va trebui să-i reamintești ce vrei de la el. De asemenea, mai mult ca sigur va avea nevoie de sugestii cu privire la ce înseamnă un compliment. Dar nu te da bătută și perseverează; este singura șansă pentru prietenia sau relația voastră. Dacă Joel pur și simplu refuză să se schimbe, înseamnă că e un agresor. De ce spuneai că ai o relație cu el?

Joel, vampirul energetic, are nevoie de un feedback la fel de onest. Nu sta degeaba clocotind în interior. Spune-i că te-ai săturat de promisiunile lui dacă nu le pune în practică. Vei avea impresia că nu ești un prieten bun, dar nu-i adevărat, de vreme ce Joel te-a ales. Pur și simplu stabilești niște granițe. Îi spui sincer care sunt limitele tale și-i oferi acest privilegiu înainte de a te înfuria sau supăra pe el. Acest lucru este benefic pe termen lung atât pentru tine, cât și pentru Joel. Dacă Joel nu poate sau nu vrea să se schimbe, gândește-te ce variante ai. În cazul în care Joel este soțul tău, te compătimesc.

Însă acest lucru n-o să te ajute. Ceea ce te-ar ajuta este să acționezi cu fermitate. În primul rând, nu fi o victimă. O relație abuzivă implică asumarea celor două roluri – călăul și victima. Asta îmi amintește de o frescă renascentistă dintr-o biserică italiană, reprezentând un martir care se supune torturii cu o resemnare îngerească; victima pioasă își înfruntă agresorul cu stoicism. Gândește-te însă puțin: oare asta este alegerea ta? Dacă nu, fă ceva. Asumă-ți responsabilitatea pentru viața ta. Fă ceva pentru Joel doar dacă se poartă cu tine așa cum trebuie. Definește-ți nevoile, stabilește ce vei face dacă acestea sunt îndeplinite și ce anume vei schimba în caz contrar. Încearcă să privești cerințele din punctul lui Joel de vedere. Ai convingerea că sunt rezonabile? Dacă așa stau lucrurile, însă pe Joel îl înfurie ceea ce spui, gândește-te la obiecțiile sale și negociați, dacă este cazul, dar nu te lăsa abătută de la ceea ce ai nevoie cu adevărat, fiindcă altminteri nu vei face decât să acumulezi probleme.

Foarte rar, unul dintre parteneri pune piciorul în prag și insistă să meargă amândoi la consiliere maritală. Dacă ajungeți în acest punct, nu îl ruga pe Joel să mergeți la consiliere, ci spune-i acest lucru cu hotărâre. Joel nu va vota pentru consiliere maritală deoarece starea de fapt îi convine sau cel puțin așa are impresia. Poate fi nevoie să-i ceri asta ca pe o condiție pentru a rămâne împreună. Totuși, e nevoie de precauție; ce vei face dacă Joel refuză? Dacă nu te ia în serios și tu nu-ți pui în practică amenințarea, dispare orice șansă de a schimba ceva.

Agresori și sadici

După cum am menționat în Capitolul 4, în cazul agresorilor și al sadicilor nu prea e mare lucru de făcut, deoarece acțiunile lor sunt mai puternice decât rezistența ta, în afara cazului în care ești o persoană foarte încrezătoare și sigură pe sine. Dacă, din proprie experiență, ai dovezi reale că Clive este un agresor sau un sadic, stai departe de el. Asta nu înseamnă să renunți la o relație dacă prietenul sau partenerul tău are o zi proastă și se răstește o dată la tine. Dar dacă te rănește sau te umilește în repetate rânduri, va continua în același fel. Când îi spui că pleci, va încerca să te aducă înapoi promițându-ți că se va schimba, însă nu o va face, sau cel puțin nu pe termen lung, decât dacă întreprinde ceva serios în acest sens, de pildă dacă merge la terapie.

Dacă pleci, întoarce-te doar atunci când te simți confortabil și ai convingerea că partenerul s-a schimbat cu adevărat și pentru totdeauna. Clive îți va spune că nu se descurcă sau că nu poate continua tratamentul fără tine, însă nu vrea decât să recapete controlul, să te aducă înapoi. Fii fermă și consecventă. Dacă nu crezi că se schimbă cu adevărat, nu te grăbi să te întorci la el. Va încerca să te convingă că n-o să te mai vrea nimeni și ai nevoie de el. Nu, nu ai. E mai bine să rămâi singură decât să fii o victimă. Există o mulțime de oameni buni și afectuoși, deși Clive va încerca să te convingă contrariul. Orice ar spune el, agresiunea nu este ceva normal și corect.

Bombe și „elefanți"

Nu încerca s-o dojenești pe Sarah când are o criză de furie. E total scăpată de sub control și nu poți comunica cu ea. Atunci când o mitralieră se rotește și aruncă gloanțe la întâmplare, este mai bine să nu fii în apropiere. Îndepărtează-te liniștit și politicos, explicându-i, dacă e nevoie, că veți discuta mai târziu. Cel mai probabil, Sarah nu-și va mai aminti nimic la momentul respectiv. S-a descărcat și n-o mai preocupă ce a fost.

Însă, dacă Sarah îți este prietenă sau parteneră, este important să readuci subiectul în discuție după ce s-a calmat, din cel puțin două motive. În primul rând, criza ei de furie v-a împiedicat să discutați în mod corespunzător despre problema respectivă sau să aveți un schimb normal de informații. Asta se întâmplă odată ce Sarah s-a liniștit. În al doilea rând, ai ocazia să-i spui părerea ta. Merită să-i transmiți cum te-a făcut să te simți răbufnirea ei: „Sarah, știu că n-ai vrut să mă superi, dar când te-ai înfuriat, mi s-a părut neplăcut și înfricoșător. Te rog să nu țipi la mine, bine?" Dacă e sinceră, Sarah n-o să-ți promită asta, întrucât crizele ei de furie o surprind și pe ea în egală măsură, dar cel puțin i-ai arătat că sentimentele tale contează.

Cu „elefantul" Sarah trebuie să vorbești și mai clar. Spune-i direct ce ai de spus, cu vorbe cât mai simple. S-ar putea ca ție să nu-ți placă dacă cineva îți vorbește atât de sincer, dar e puțin probabil ca Sarah să fie atât de sensibilă. La urma urmei, acesta e motivul comportamentului ei: îi lipsește sensibilitatea. Nu o trata așa cum ți-ar plăcea ție să fii tratat, ci așa cum îi tratează ea pe alții. Fii cât mai direct, dar rămâi binevoitor, rezonabil și concentrat asupra informației pe care o transmiți. Îi poți vorbi astfel: „Te rog, nu-mi mai spune ce să fac. Știu mai multe despre aparate decât tine. Nu am nevoie de sfatul tău în această privință, înțelegi?" Pentru altcineva, s-ar putea să sune puțin cam dur, dar nu și pentru Sarah.

Vei observa că și de data asta am încheiat răspunsul cu „înțelegi?" Este un lucru util, deoarece îl invită pe interlocutorul să fie de acord sau aduce la lumină un aspect asupra căruia există dezacorduri sau neînțelegeri, despre care puteți discuta ulterior.

Pe cât posibil, conversația cu Sarah ar trebui să aibă loc între patru ochi. Dacă sunt și alții prin preajmă, va încerca să se dea în spectacol. Într-o discuție față în față, sunt șanse mult mai mari să accepte ce-i ceri.

Habotnici, lăudăroși, fundamentaliști și fanatici

În privința acestor categorii, chiar nu știu ce-i de făcut. Dacă aș ști, aș colabora cu o serie de guverne, negociind cu talibanii și ISIS. Dacă reușești să găsești vreun interes comun cu Donald, foarte bine, dar ferește-te de zonele conflictuale. Faptul că Donald vrea să-ți știe părerea cu privire la una sau alta nu înseamnă că trebuie să i-o și împărtășești. Îi poți spune doar: „Știi, Donald, nu vreau să vorbesc despre asta".

„A, deci ești comunist, nu?", răspunde Donald.

„Nu, nu sunt, dar n-am de gând să discut cu tine despre politică."

Fii ferm pe poziții. Dacă nu se poate, va trebui să stai la distanță de Donald. Cu siguranță nu sunt șanse să-l faci să se răzgândească sau să ai un schimb rezonabil de păreri. Donald este așa cum este, iar dacă nu-ți convine, găsește-ți un alt prieten. Dacă grupul de prieteni te domină, vei pierde și câțiva dintre ei, însă asta nu depinde de tine. Nu vei fi fericit în preajma lui Donald decât dacă ești dispus să fii de acord cu toate prejudecățile sale.

Narcisiști

În cazul lui Elizabeth, există o problemă referitoare la limite. Nevoile ei sunt nelimitate, dar sarcina ta este să-i limitezi așteptările. Tu decizi până unde îi permiți să meargă în ce te privește, apoi transmite-i clar care este limita. Poate să-și asume meritele la locul de muncă pentru un lucru în care tu ai investit cel mai mult? Îi permiți să se laude tot timpul? Cât anume din timpul și din energia ta emoțională ești dispus să-i oferi? Reține, Elizabeth nu are un sentiment intrinsec al propriei valori și de aceea caută în permanență să fie aprobată de alții, prin aprecieri, sprijin și atenție. Nu e vina ei că se comportă astfel – probabil în copilărie n-a avut parte de laudele, atenția și sprijinul necesar –, dar asta nu schimbă cu nimic faptul că îți cere tot mai mult pe măsură ce îi oferi.

Fiind o persoană darnică și bună la suflet, există pericolul ca nevoile lui Elizabeth să te secătuiască de toată energia. Odată ce ai identificat nevoia ei excesivă de atenție, decizi ce vei face pentru ea și ce nu. Dacă n-ai de gând să muncești mereu și ea să-și asume meritele pentru munca ta, spune-i foarte clar acest lucru de la început. Stabilește granițele rapid și cu precizie. Când te-ai săturat de lăudăroșeniile ei, dă-i de știre, cât mai gentil cu putință. Treaba ta este să stabilești granițe cu blândețe și fermitate, nu să te preocupe reacția lui Elizabeth față de acest lucru. Spune-i de la început ce vei face pentru ea și ce nu, iar dacă se simte dezamăgită fiindcă nu faci mai multe, nici o problemă. Poate că nu vei deveni salvatorul perfect pentru ea, dar dacă îi tolerezi nevoile în condițiile unor limite ferme, deja faci foarte mult pentru ea; asta îți permite totodată să nu te simți copleșit și furios, perpetuând astfel tiparul respingerii cu care s-a confruntat toată viața.

Dacă întâlnești tot timpul astfel de persoane și te trezești înconjurat de ele, examinează semnalele pe care le trimiți prin generozitatea și atenția ta. Dacă le dai oamenilor impresia că: „Sunt aici pentru tine, orice-ar fi, și-ți voi da întotdeauna ceea ce-mi ceri", va trebui să lucrezi asupra granițelor și limitelor. Poți fi un om bun fără să-ți pui pe frunte eticheta „fraier". Cere sfatul prietenilor tăi care știu mai bine cum să acționeze ferm și să-și poarte de grijă.

Psihopați/sociopați

Nu o lua în direcția aceea dacă ai de ales. Alex e tare rău și te va răni. De îndată ce realizezi că nu are sentimente reale pentru tine și pentru nimeni altcineva, că este lipsit de conștiință și n-are nici un fel de scrupule în a face tot ce trebuie pentru a obține ceea ce vrea, păstrează o distanță cât mai mare. Dacă lucrați împreună, ridică o barieră rece, profesională și eficientă. Mesajul pe care trebuie să i-l transmiți este: „Nu sunt dușmanul tău, dar nu te pune cu mine și nu încerca să mă provoci, fiindcă n-o să meargă". Dacă ai impresia că ți-e prieten, să știi că nu-i adevărat; îndepărtează-te. Dacă ești căsătorită cu el, cere sprijinul prietenilor. Vei avea nevoie de el din plin. De asemenea, poți cere sfatul unui consilier sau psihoterapeut. Și reține, tu decizi cum îți trăiești viața.

Alex nu are ceva mai bun de oferit, așa că nu încerca să-i ceri. Fii foarte vigilent, chibzuit și strategic în interacțiunile cu el; metaforic vorbind, nu ai vrea să-i întorci spatele unui lup flămând, deci nu face asta cu Alex. Nu încerca să-i dai lecții sau să-l păcălești. Se pricepe mai bine decât tine la asta. Dar, precum în cazul multor altor persoane toxice, poți și trebuie să-ți aperi granițele. Nu trebuie să faci ceea ce nu vrei doar fiindcă Alex îți cere.

Posesivi paranoici

În acest caz, e nevoie de puțină chibzuință. O anumită doză de nesiguranță constituie un aspect normal al unei relații de iubire, la fel ca neînțelegerile și nevoia de a primi lămuriri, dar când nesiguranța lui Mary domină toate aspectele relației voastre, trebuie să iei măsuri. Nu te izola singur doar ca să nu o superi. Nu te lăsa antrenat în interogatorii fără sfârșit pentru a-ți dovedi fidelitatea. Decide tu până unde îi permiți să te verifice. Dacă nu o poți liniști sau convinge de fidelitatea ta, nu continua să faci eforturi tot mai mari în acest sens. La un moment dat va trebui să pui piciorul în prag – iar acest moment ar putea fi chiar acum. Eforturile tale nu pot rezolva problemele lui Mary. Ea trebuie să se confrunte cu propria nesiguranță și cu lipsa de încredere în sine care stă la bază, iar asta ar putea însemna solicitarea unui ajutor profesionist. Dacă poți rezolva problema printr-o discuție onestă, căzând de acord asupra unor limite și măsuri rezonabile de natură să o liniștească, atunci e foarte bine, dar în caz contrar, este puțin probabil ca relația voastră să supraviețuiască în lipsa unui ajutor specializat.

Firește, asta presupune că nu te-ai făcut niciodată vinovat de infidelitate. Altminteri, nu-i cere lui Mary și nu aștepta de la ea încredere în tine atâta vreme cât nu este pregătită. Acceptă toate încercările ei de a te verifica, în niște limite rezonabile. Până la proba contrarie, e-mailurile, mesajele telefonice și documentele tale bancare sunt proprietatea lui Mary. Când ai înșelat-o, ai renunțat la dreptul tău la confidențialitate.

Care este definiția infidelității? În această categorie intră și faptul că ai sărutat-o pe soția vecinului la o petrecere după ce ați cam băut? Tu și Mary trebuie să decideți în această privință, dar dacă ai fost imprudent, așteaptă ca încrederea lui Mary să revină – nu-i cere asta.

Dacă, pe de altă parte, nesiguranța și posesivitatea lui Mary au ajuns la stadiul de gelozie morbidă (vezi Capitolul 4), ai o problemă. În cazul în care ești sigur că asta e situația, mai ales dacă acuzațiile ei au început să se manifeste prin violență, eu te sfătuiesc să pleci și să rămâi deoparte până când Mary urmează un tratament eficient. Dacă ai îndoieli, cere-i ajutorul unui profesionist, ceea ce în primă instanță înseamnă să mergi la medicul de familie.

Ezitanți și evitanți

Secretul pentru a-l înțelege pe William, indecisul obsesiv, este să accepți că așa e el. Dacă nu primește un tratament eficient, nu se va schimba niciodată. După ce te-a curtat și te-a respins de mai multe ori, trebuie să accepți că asta e situația și să te întrebi dacă ești dispusă să trăiești astfel. Altminteri, să știi că suferința și singurătatea sunt temporare, dar aceste cicluri de du-te-vino vor continua la nesfârșit. Înfruntă acum problema și îți vei recăpăta viața. Dacă William primește un tratament, e foarte bine. Cu timp, efort și ajutorul unui terapeut bun, schimbarea este posibilă, chiar și în cazul celor mai înverșunați nehotărâți, dacă putem spune așa, dar nu te baza pe spusele lui William, ci caută dovezi ale unei transformări reale și durabile.

La fel ca în cazul multor tipuri de persoane din acest capitol, cel mai important principiu pentru a interacționa cu William, evitantul fobic, este să stabilești niște limite ferme și constante. Firește, e bine să-ți perfecționezi standardele în ce privește curățenia și igiena, însă doar până la o limită rezonabilă (dacă e nevoie, cere-le sfatul prietenilor). Nu te lăsa cooptată în ritualuri fără sens. Asta poate duce la o criză și o ceartă neplăcută, dar trebuie să iei atitudine acum; altminteri, întreaga ta viață, la fel ca a lui William, va ajunge să fie dominată de fobiile și ritualurile sale. Dacă William are nevoie de tratament din cauza efectelor nefaste pe care le au acestea asupra lui sau, mai cu seamă, asupra copiilor tăi, insistă asupra acestui aspect. Fii cât mai fermă cu putință. O discuție hotărâtă în momentul potrivit te va scuti de o viață lungă de suferințe.

Cei care țin scorul

În cazul lui Izzy, cred că secretul nu este să o controlezi pe ea, ci să te controlezi pe tine. N-o vei putea mulțumi niciodată, poate numai dacă îți faci o operație pentru a te contopi cu ea. Dacă te aștepți să o faci fericită, vor apărea probleme. Asta nu va duce decât la epuizare, nefericire și descurajare. Prin urmare, acceptă că ai dat greș; de fapt, bucură-te. Dacă o lași pe Izzy să-și asume propria nefericire în loc să o preiei asupra ta, te eliberezi de povara așteptărilor ei. Presupunând că are niște calități care te fac să păstrezi legătura cu ea, la întrebarea dacă vei rămâne prietenul ei trebuie să răspundă Izzy, nu tu. Va trebui să te accepte așa cum ești. N-are decât să protesteze cât vrea; îi vei alunga protestele cu un zâmbet și o ridicare din umeri, fiindcă n-ai de gând să-i oferi decât ceea ce vrei. Dacă nu-i convine, e problema ei.

Când am acceptat că nu-i voi face mereu pe toți fericiți și că uneori oamenii n-o să mă placă sau n-o să fie de acord cu mine, m-am simțit eliberat; a fost cea mai importantă realizare din viața mea. Sper că și tu vei ajunge la acest nivel de acceptare.

Glumeți și povestitori

Bill este un tip haios și antrenant, ceea ce înseamnă că vei fi vrăjit ușor de el. Dar amintește-ți că arma lui este publicul care-l ascultă. Vrei să fii parte din bâta cu care își lovește victima?

Când spune o glumă sau tachinează pe cineva, gândește-te cum te-ai simți dacă tu ai fi subiectul glumei sale. Dacă nu ești o persoană încrezătoare, nu merită să-i atragi atenția lui Bill ca să nu-și reverse focul asupra ta; în caz contrar, mai ales dacă îți plac disputele verbale, nu te sfii. Altminteri, retrage-te din preajma lui, în tăcere și fără să te agiți. Nu-i asculta poveștile sau glumele despre alți oameni. Găsește ceva de făcut care îți va permite să te îndepărtezi.

Dacă ești în vizorul lui Bill, ghinion. Pleacă cât mai repede. După experiența mea, un mormăit pe un ton plictisit: „Mda, cum spui tu, Bill“ în timp ce te îndepărtezi este o strategie foarte eficientă. Dacă te superi sau te înfurii, îi faci jocul. Poți fi supărat mai târziu, singur sau în compania unor prieteni de încredere. Nu vei fi prima persoană umilită de Bill. Celelalte victime ale lui pot fi o sursă valoroasă de sprijin reciproc.

Dependenți

Aici voi vorbi despre Sally alcoolica, dar principiile sunt aceleași, indiferent de dependență. Dacă vrei mai multe detalii despre acest subiect, poți citi cartea mea *Dying for a Drink* [Când vrei cu disperare să bei] sau, și mai bine, găsește o filială locală a Al-Anon, organizația înrudită a Alcoolicilor Anonimi, destinată membrilor familiei celor care suferă de alcoolism.

În primul rând, iată ce să nu faci. Nu susține tiparul dependenței. Nu-l proteja pe dependent, nu-i găsi scuze, nu-i justifica comportamentul, nu-l proteja, nu-l salva de consecințele propriilor fapte. Nu permite ca nevoile tale să fie date deoparte și nu te lăsa redus la tăcere pentru ca persoanei să-i fie mai ușor. Nu încerca să-i demonstrezi ceva cuiva intoxicat cu alcool sau să porți o discuție importantă cu el sau ea. Vorbești cu băutura, nu cu persoana, iar aceasta oricum nu-și va mai aminti nimic în dimineața următoare. În același timp, nu ascunde totul sub preș.

Dacă Sally te-a agresat când era beată, trebuie să-i aduci asta la cunoștință a doua zi, înainte să se apuce iar de băut, și să-i spui foarte clar că nu accepți așa ceva. Fii dur. A tăcea și a lăsa lucrurile în voia lor nu este o dovadă de iubire; dimpotrivă, înseamnă să încurajezi tiparul adicției. Cei din organizația Al-Anon vorbesc foarte mult despre „iubirea dură", și pe bună dreptate. Dacă o iubești pe Sally, fii foarte dur în ceea ce privește dependența ei. Nu face compromisuri, nu închide ochii, nu trece cu vederea micile scăpări; stabilește niște limite foarte clare. Câțiva experți nu vor fi de acord cu asta, dar părerea mea este că o persoană care a fost dependentă de o substanță sau un comportament nu poate spera vreodată să revină la un mod de utilizare controlat. Asta înseamnă că Sally trebuie să se abțină în totalitate și pentru totdeauna de la alcool. De asemenea, va avea nevoie de ajutor, poate de la un specialist în adicții sau de la un grup de terapie. Din punctul meu de vedere, cea mai bună organizație este Alcoolicii Anonimi, care este gratuită și disponibilă în aproape toate orașele principale din Marea Britanie. Sugerează-i lui Sally să le dea un telefon sau să le viziteze site-ul. Va primi detalii despre o întâlnire în zona ei, iar dacă sună, va fi pusă în legătură cu o persoană care o va duce la prima întâlnire. Va trebui să fii foarte ferm, deoarece negarea, minimizarea, raționalizarea și învinovățirea altora reprezintă simptomele dependenței. Organizația Al-Anon îți va oferi sprijinul necesar pentru a-ți menține această fermitate.

Alcoolicii activi se pricep de minune să se ascundă. Dacă ești sincer cu tine, știi cum se poartă Sally când e beată. Dacă se comportă astfel după o perioadă în care părea să-și fi revenit, probabil și-a reluat obiceiul. Dacă vrei, caută sticle goale în sau pe lângă coșul de gunoi. Nu o crede pe cuvânt. Dacă Sally ar fi pacienta mea, i-aș spune să nu se aștepte să ai încredere în ea până când nu trec cel puțin doi ani de abstinență. În plus, n-ar trebui să aibă încredere nici în ea însăși. Asta nu e o critică la adresa lui Sally, ci recunoașterea puterii copleșitoare a dependenței. Nu te gândi nici măcar o clipă că o poți opri pe Sally să mai bea. Dacă încui un alcoolic activ într-un seif de oțel cu pereți de trei metri grosime, va găsi o cale de a ieși ca să-și ia de băut.

Dependența este un mega-tsunami imens de vreo 30 de metri înălțime. Un om stă pe o plajă și vede cum se apropie valurile. Se uită în sus și în jos și-și spune: „Da, o să mă descurc". Cum? Ești nebun? Bineînțeles că n-o să te descurci;

tsunamiul este o forță a naturii, care te va spulbera. Fugi mâncând pământul.

AA este salvarea lui Sally. Al-Anon este salvarea ta. Încearcă să nu fii gelos pe timpul pe care-l petrece la întâlniri. Este o investiție în viitorul amândurora. Vestea bună este că, dacă Sally reușește să-și revină cu adevărat, nu va mai fi toxică. Sunt șanse ca, prin intermediul celor 12 pași, să devină o persoană mai bună decât a fost vreodată. După cum am menționat în Capitolul 4, mulți dintre cei mai buni oameni din lume sunt dependenți în curs de recuperare.

12

Dar dacă eu însumi sunt o persoană toxică?

După cum am explicat în Capitolul 4, dacă te gândești că s-ar putea să fii o persoană toxică, probabil nu ești, deoarece majoritatea oamenilor toxici nu sunt conștienți de propria toxicitate sau le e foarte greu să o recunoască. Dacă ar fi fost conștienți și s-ar fi ocupat de ea, probabil că până acum s-ar fi schimbat. Cei mai mulți dintre pacienții mei care aveau impresia că le făceau rău celor din jur s-au dovedit a suferi de depresie majoră sau boală depresivă. Judecățile lor negative despre ei înșiși erau rezultatul percepției și gândirii lor distorsionate, care constituiau simptome ale bolii. Prin urmare, dacă ți se pare că ești o persoană toxică, mai întâi mergi la medic pentru a afla dacă nu cumva suferi de depresie. Tratamentul (care constă din medicamente, terapie cognitiv-comportamentală sau ambele) este de obicei eficient și va schimba totul, mai ales modul în care te vezi pe tine însuți.

Dar haide să pornim de la presupunerea că ești o excepție, ai tendința de a le face rău celor din jur și vrei cu adevărat să te schimbi. Ține cont de următoarele lucruri:

1. Nu e vina ta. Fiecare dintre noi este așa cum este dintr-un anumit motiv, care de obicei reflectă experiențele sale de viață și (în mai mică măsură) moștenirea genetică. Nu te mai blama și începe să cauți modalități de a te schimba.
2. Nu ești o persoană rea. Judecățile de valoare negative nu te ajută cu nimic. Ce te ajută sunt acțiunile pozitive. Concentrează-te asupra comportamentelor pe care vrei să le schimbi.
3. Asumă-ți responsabilitatea. Ceea ce s-a întâmplat înainte să-ți dai seama că poți alege să te schimbi n-a fost din vina ta, dar acum știi mai multe, iar asta înseamnă că este responsabilitatea ta să îți schimbi comportamentul față de persoanele pe care le influențezi cel mai mult.
4. Cunoaște-te pe tine însuți. Această carte, mai ales Partea I, te va ajuta să-ți înțelegi modul de funcționare și motivațiile. Ești capabil să te ocupi de problemele care te-au determinat să fii așa cum ești? Dacă nu, cere ajutor. Nu-i nici o rușine. Multe dintre cele mai importante personaje din istorie au avut nevoie de psihoterapie la un moment sau altul din viață. Pentru început, spune-i medicului de familie că dorești consiliere sau psihoterapie. Medicul va ști încotro să te îndrume.
5. Te poți schimba. Personalitatea nu e fixă, se schimbă cu timpul și în funcție de modul de a fi. Devii ceea ce faci, așa că decide cum vrei să fii și începe să acționezi

în această direcție. La început, s-ar putea să te simți ca un impostor, dar nu te da bătut. Deocamdată joci un rol, dar cu timpul, dacă perseverezi, acest „impostor“ va deveni adevărata ta persoană. Dacă vrei să fii mai bun, caută ocazii de a-ți manifesta bunătatea. Indiferent ce simți, fă ce e nevoie, în mod repetat, până când începi să te simți o persoană bună.

Vei avea nevoie de puțin ajutor, mai ales dacă ai un temperament exploziv. Exploziile survin pe neașteptate. Vei avea nevoie de un terapeut (în general, specialiștii în psihologie clinică știu cum să-i ajute pe oameni să-și schimbe comportamentul) care să-ți ofere câteva indicii pentru a recunoaște semnalele de avertizare și să te ajute să creezi strategii pentru a face față momentelor critice.

6. Vorbește mereu cu cineva de încredere. Dacă aceasta este persoana căreia crezi că i-ai făcut rău, cu atât mai bine, însă s-ar putea să nu-ți ofere informații corecte despre nevoile ei sau despre ce anume ar dori să schimbi la tine, din cauza lipsei de percepție sau de încredere. Rezistă impulsului de a o forța să te încurajeze, deoarece va fi probabil nerăbdătoare s-o facă, dar nu te poți baza pe încurajarea ei și, dacă îi ceri acest lucru, nu vei face decât s-o domini și mai mult.

Dacă ai un prieten sau un membru al familiei înțelept care crezi că ți-ar putea oferi păreri și sfaturi sincere, vorbește cu el. Ascultă-l. Încearcă să spui mai puține și să asculți mai mult. Dacă ai ajuns la capătul puterilor și nu știi ce să faci, cere-i sfatul unui profesionist, începând cu medicul de familie.

7. Acordă-ți timp, răbdare și înțelegere. Ți-a luat o viață întreagă să ajungi în acest punct. Schimbarea se va produce în timp. Și e cât se poate de firesc să te poticnești pe drum. Nu te dojeni, ci fii sincer în legătură cu căderea ta, cu tine însuți și cu cei dragi – și învață din cele întâmplate.
8. În fine, nu aștepta aplauze. Schimbarea însăși este răsplata. E foarte posibil ca persoanele cărora le-ai făcut rău să nu admită ce s-a întâmplat sau să nu fie capabile să-ți spună asta. Și chiar dacă îți vor spune, nu te pot ierta la comandă. Ai parcurs un drum lung și dificil; la fel și ceilalți. Dar dacă ai luat decizia să te schimbi și ai pus-o în aplicare, cu siguranță ai făcut un lucru minunat. Dacă ai identificat un tipar toxic transmis în familia ta din generație în generație și tu l-ai schimbat pentru prima oară, ai transformat viitorul numeroaselor generații ce vor urma. Nu e de-a dreptul extraordinar?

CONCLUZIE

Unde am ajuns? Am analizat modul în care funcționează oamenii, ce se află la baza comportamentului lor, atât individual, cât și în grupuri, inclusiv în cadrul familiilor, precum și modul în care pot fi influențați. Apoi am discutat despre câteva tipuri de oameni, locuri și situații toxice cu care te poți confrunta, examinând totodată câteva familii toxice. În fine, pornind de la aceste informații, am elaborat o serie de strategii care ne permit să facem față toxicității, menționând totodată câteva principii generale care se vor dovedi utile în cazul oricărui gen de persoană toxică, precum și acțiunile specifice necesare pentru a înfrunta diferite tipuri de persoane, locuri, situații sau familii toxice. Ai învățat un exercițiu de relaxare, pe care însă va trebui să-l practici un timp îndelungat pentru a-l putea folosi în toiul situației. Cunoști principiile mindfulness, însă va trebui să mai studiezi puțin pentru a le putea aplica.

De asemenea, am vorbit despre analiza tranzacțională a jocurilor și despre cum poți folosi o serie de antiteze eficiente pentru a pune capăt jocurilor care te afectează. În Capitolul 12, am identificat și câteva acțiuni specifice care-ți permit să-i înfrunți imediat pe oamenii toxici din viața ta.

Acum poți folosi aceste informații pentru a schimba modul în care interacționezi cu ceilalți, în particular cu persoanele care au o influență negativă asupra ta. Asta înseamnă să pui la îndoială numeroase atitudini și preconcepții despre modul în care ar trebui să te comporți. Nu va fi confortabil, la fel ca toate lucrurile noi. Acum câțiva ani, pe un teren de golf, am cunoscut un bărbat care se apropia de 40 de ani și am stat de vorbă cu el. Era un comerciant de mare succes. Se pricepea foarte bine la golf și l-am întrebat cum de a devenit atât de îndemânatic. Mi-a spus că până acum cinci ani fusese profesor de golf. „Ce te-a făcut să-ți schimbi cariera? Banii?", l-am întrebat.

„Nu," a răspuns el, „pur și simplu nu-i mai suportam pe elevii mei. Le spuneam cum să procedeze pentru a-și corecta balansul, iar peste o săptămână, când se întorceau, balansul era la fel de ciudat ca întotdeauna. Îi întrebam de ce nu mi-au urmat sfatul, iar ei îmi spuneau că n-au perseverat deoarece noul tip de balans era inconfortabil. Într-o zi, am răbufnit și i-am spus elevului meu să plece și să joace în continuare prost și confortabil, să nu-mi mai dea bani degeaba. Atunci am știut că e momentul să-mi schimb cariera."

Avea dreptate și a avut mare noroc că a făcut-o. Îmi dau seama cum se simțea. Dacă nu-ți asumi responsabilitatea pentru viața ta și nu faci niște schimbări majore în privința modului în care interacționezi cu oamenii pe care îi consideri toxici, totul va rămâne neschimbat. Nu da vina pe alții pentru suferința ta. Nu ei sunt de vină, ci tu. Oamenii se comportă așa cum s-au comportat întotdeauna și se simt foarte bine așa. Dacă vrei să ai o viață mai bună, tu ești cel care trebuie să pună lucrurile în mișcare. Ai observat probabil că pe parcursul acestei cărți s-au repetat mai multe teme, printre care importanța faptului de a te trata pe tine cu aceeași înțelegere și respect pe care le arăți celorlalți. Un alt aspect important este să ceri ajutor. Vorbește cu prietenii când ai nevoie de ei. Nu te izola. Dacă ai nevoie de ajutor profesionist, mergi mai întâi la medicul de familie. Pe locul al treilea în ordinea importanței este să ai o abordare strategică, să cauți oportunități, și nu corectitudine. Folosește-ți creierul, și nu emoțiile pentru a face față problemelor cu care te confrunți. Înțelegerea și planificarea sunt mult mai utile decât indignarea justificată.

Dacă tot ce ai învățat din cartea de față nu este suficient pentru a te proteja de efectele toxice ale unei persoane asupra ta, este momentul să îi spui la revedere (deși căsnicia s-ar putea să fie o excepție – vezi Capitolul 9). Unele persoane se pricep atât de bine să-și manifeste toxicitatea, încât nu vei reuși niciodată să le faci față. În acest caz, în opinia mea, singurătatea temporară este de preferat oprimării. În viața ta sunt șanse mai mari să apară oameni buni când ai loc pentru ei. Asta nu se va întâmpla atâta vreme cât te afli în strânsoarea oamenilor toxici. În orice caz, un lucru pe care l-am constatat în repetate rânduri este că oamenii, fie prieteni sau parteneri de viață, tind să apară exact atunci când nu ai nevoie de ei. Când recunoști că ești în regulă și te simți bine pe cont propriu, în calea ta apar ca prin minune oameni valoroși. Este una dintre marile ironii ale vieții. Firește, în realitate nu e vorba de magie. Încrederea și stima de sine atrag oameni buni (și îi resping pe cei toxici, care tind să se folosească de tine și să te agreseze).

Acum haide să revenim la Helen (vezi Introducerea și Capitolul 10).

Ce ar putea schimba în comportamentul ei?

Pentru început, să renunțe la scuze. Acestea transmit un mesaj greșit, și anume că ar face tot ce-i stă în putință să-și ajute prietena, pe Anita. În acest caz, unde e alegerea ei? Trebuie să încerce o altă abordare:

„Nu, Anita, nu astăzi. Am foarte multe pe cap și chiar nu vreau să mă suprasolicit și să obosesc."

„Haide, te rog, doar de data asta, chiar am nevoie să ies diseară."

Helen o fixează pe Anita cu o privire de oțel. „Nu, îmi pare rău că te dezamăgesc, dar, după cum am spus, astăzi nu pot." (Observă că Helen nu spune: „Îmi pare rău că te-am dezamăgit". Aceasta nu e o scuză; Helen își exprimă dezamăgirea față de reacția Anitei. Ea nu o dezamăgește în mod activ pe Anita, ci Anita a ales să fie dezamăgită.)

„Da, sunt dezamăgită. Credeam că poți face mai multe pentru prietena ta cea mai bună."

„Da, sunt convinsă. Haide să vorbim despre altceva. Cum a fost azi la sală?" (Helen nu face nici un efort pentru a se apăra sau a-și cere scuze, ci doar se menține pe poziție.)

Anita va fi îmbufnată o vreme, dar o să-i treacă; astfel, Helen a stabilit o graniță pe care se va putea baza în viitor. Dacă Anita nu e în stare să o accepte, înseamnă că nu-i este cu adevărat prietenă, iar agenda lui Helen va fi mai ușoară fără numele Anitei în ea.

Acum să ne ocupăm de mamă. În Capitolul 10 am sugerat un tipar pentru interacțiunea lui Helen cu mama ei, însă e bine să-l revedem. Sunt posibile mai multe variațiuni pe această temă.

„Știi, mami, n-o să te duc azi la doctor fiindcă am prea multe pe cap. Uite numărul unei firme foarte bune de taxiuri. De asemenea, pot să-ți instalez pe telefon aplicația Uber."

„Uf, chiar nu știu unde am ajuns dacă o mamă nu poate apela la fiica ei când e bolnavă. După tot ce am făcut pentru tine..."

„Da, asta e. O să vin în weekend să te ajut cu draperiile, sigur, dacă vrei." (Din nou, un refuz ferm de a modifica granița stabilită.)

„Nu te osteni. Nu sunt destul de importantă ca să mă încadrez în programul tău ocupat."

„Bine. Atunci sună-mă când ai nevoie de ceva." (Helen refuză să muște momeala și să se implice în jocul vinovăției.)

Mama o sună a doua zi și îi spune că nu s-a dus la medic deoarece nu se simțea în stare s-o facă fără Helen. După cum am recomandat în Capitolul 10, Helen îi spune că trebuie să se reprogrameze și s-o ia cu ea pe vecina ei, Phyllis, dacă vrea să meargă însoțită.

„Dar mie nu-mi place să dau telefon, nu vrei să o suni tu pentru mine?"

„Nu, mami, trebuie să o suni tu. Eu n-am agenda ta în față."

În următoarele două săptămâni, Helen nu primește nici un telefon, înainte primea câte unul în fiecare zi, iar acum mama ei nu răspunde. Apoi o sună Phyllis, care îi spune că mama ei „a avut o criză" și a fost dusă la spital cu ambulanța, iar Helen trebuie să meargă acolo de urgență, fiindcă mama ei are nevoie de ea. Reiese că mama a fost trimisă acasă după consultație, fără nici un alt diagnostic, doar o ușoară hipertensiune arterială deoarece i se terminaseră pastilele cu o săptămână în urmă.

„Mulțumesc, Phyllis. Spune-i mamei să mă sune ca să știu de ce are nevoie." (Helen subliniază că mama este cea care trebuie să acționeze.)

În continuare nici un semn. Acum Helen trebuie să-și ia inima în dinți și să facă investigații. A identificat jocul mamei ei și antiteza, care constă în a nu mai răspunde la manipulările mamei sale, refuzând să fie întotdeauna la cheremul ei. Mai devreme sau mai târziu, mama va suna.

„Nu te-am mai văzut de atâta vreme... Am fost atât de singură și mă simt foarte rău."

„Îmi pare rău, mami. Pot trece pe la tine sâmbătă, dacă vrei." (Nu-și cere scuze, nu promite că se va ocupa de sentimentele mamei.)

Helen a aplicat antiteza și a recăpătat controlul. Are multe remușcări, însă acestea vor trece, spre deosebire de senzația de epuizare și disperare care o dominau înainte. Nu garantez că nu se va întâmpla nimic rău în efortul mamei de a ridica miza, cu scopul de a o face pe Helen să se simtă vinovată și a o obliga să se supună, dar acum e mai puțin riscant ca Helen să se mențină pe poziție decât să lase jocul să continue. Dacă are îndoieli, s-ar putea sfătui cu niște prieteni înțelepți sau chiar ar putea apela la consiliere ori psihoterapie.

Apoi Helen se ocupă de Edward. Când acesta ajunge târziu acasă, probabil nu e momentul potrivit, așa că deocamdată nu-i spune nimic, dar cel puțin acum nu mai e scandal deoarece fiica lor stă până târziu cu băiatul Anitei. Helen așteaptă până a doua zi, apoi stabilește cu Edward o dată pentru a discuta despre chestiuni organizatorice. Cad de acord să poarte discuția sâmbătă după-amiaza, când fiica lor va fi la o vecină. Edward i-a sugerat să stea de vorbă sâmbătă seara, dar Helen l-a refuzat cu înțelepciune, deoarece Edward începe să bea sâmbătă la 5, iar după câteva pahare devine pus pe harță.

La momentul potrivit, Helen începe discuția cu: „Edward, m-am tot gândit, nu sunt mulțumită că trebuie să fac totul în casă. Te rog, aș vrea să preiei tu cel puțin una dintre treburi."

„De ce? Eu îmi dau sufletul la serviciu și merit să mă odihnesc puțin când ajung acasă."

„Da, adevărat, dar eu sunt tot timpul epuizată și m-aș simți mult mai bine dacă ai contribui și tu puțin la treburile casnice." (Nimic despre cine face mai multe, cine are dreptate – doar un refuz ferm de a se lăsa dată la o parte.)

„Pentru numele lui Dumnezeu, chiar trebuie să fac eu totul?"

„Nu, dar m-am gândit că ai putea să duci gunoiul și să o plimbi pe fată sâmbătă după-amiaza ca să mă pot odihni puțin." (Helen refuză să fie atrasă într-un scandal, deși Edward folosește o hiperbolă pentru a o provoca.)

„Dar atunci mă uit la fotbal."

„Ai putea să înregistrezi meciul. Asta dacă nu ai o altă propunere." (Un răspuns bine planificat la obiecția previzibilă a lui Edward.)

Și negocierea continuă. În cele din urmă, după câteva proteste, Edward cedează, iar Helen a reușit să delege o sarcină și să obțină o oră pe săptămână pentru ea. Edward e cam supărat, dar o să-i treacă. Helen a pus piciorul în prag și acum începe să creadă că poate negocia și în alte privințe.

Helen se simte îngrijorată și îngrozitor de vinovată pentru că le cere diverse lucruri altora și lasă baltă pe toată lumea. Însă n-ar trebui să-și facă griji în legătură cu aceste sentimente, întrucât ele constituie un indiciu că se îndreaptă în direcția potrivită. Se luptă cu tendința ei de a se pune pe ultimul loc, deoarece acum își dă seama că are aceleași drepturi ca și ceilalți. Nu mai multe sau mai puține, ci aceleași. Și-a negociat propria viață. Eu, unul, sunt foarte bucuros pentru ea. Bravo, Helen! Ține-o tot așa!

LECTURI SUPLIMENTARE

Eric Berne, *Games People Play*, Londra, Penguin, 1987.

Dr. Tim Cantopher, *Dying for a Drink*, Londra, Sheldon Press, 2011.

Dr. Tim Cantopher, *Stress-related Illness*, Londra, Sheldon Press, 2007.

Max Ehrmann, „Desiderata“ (poezie, disponibilă online).

Viktor Frankl, *Omul în căutarea sensului vieții*, București, Meteor Publishing, 2009.

Thomas Harris, *I'm OK, You're OK*, London, Arrow, 2012.

Jon Kabat-Zinn, *Mindfulness de zi cu zi: Oriunde vrei să mergi, acolo ești deja*, București, Herald, 2015.

Robin Skynner și John Cleese, *Families and How to Survive Them*, Londra, *Cedar Books*, ediție nouă 1993.

Mark Williams și Danny Penman, *Mindfulness: A practical guide to finding peace in a frantic world*, Londra, Piatkus, 2011.

Janet Woititz, *Adult Children of Alcoholics*, Deerfield Beach, FL, Health communication, 1990.

INDICE

Colecția **Dezvoltare personală**

Au apărut:

Gayatri Devi, *Calm. Cum să-ți găsești liniștea într-o lume stresantă și agitată*

John D. Mayer, *Inteligența personală. Puterea personalității și cum ne modelează ea viața*

Richard Stephens, *Oaia neagră. Beneficiile ascunse ale lucrurilor rele*

Luminița Saviuc, *15 lucruri la care trebuie să renunți pentru a fi fericit*

Patricia Ionea, *Învață să trăiești din nou!*

John Neffinger, Matthew Kohut, *Cum să fii convingător*

Susan David, *Agilitatea emoțională*

Victor J. Strecher, *De ce e important un scop în viață*

Brian Tracy, *Controlează-ți timpul ca să-ți controlezi viața*

Jeff Keller, *Schimbă-ți atitudinea ca să-ți schimbi viața*

Jamie Smart, *Despre claritate*

Jorge Bucay, *Calea autodependenței*

Jorge Bucay, *Calea întâlnirii*

Jorge Bucay, *Calea lacrimilor*

Jorge Bucay, *Calea fericirii*

Jorge Bucay, *Calea spiritualității*

John C. Maxwell, *25 de moduri pentru a-i cuceri pe cei din jur. Cum îi faci pe ceilalți să se simtă extraordinar*

John C. Maxwell, *17 calități esențiale pe care ar trebui să le aibă membrii unei echipe*

Travis Bradberry, Jean Greaves, *Inteligența emoțională 2.0*, ediția a II-a

În pregătire:

Gilles Corcos, Corinne Vilder, *Cum să-ți dezvolți inteligența emoțională*

John C. Maxwell, *Lucrul care face diferența. Cum să faci din atitudine calitatea ta cea mai de preț*

Andy Cope, Amy Bradley, *Scurt ghid de inteligență emoțională*

Colecția **Spiritualitate**

Au apărut:

Florence Scovel Shinn,
Jocul vieții și cum să-l jucăm

Thich Nhat Hanh, *Cum să iubești*

Thich Nhat Hanh, *Cum să te relaxezi*

Thich Nhat Hanh, *Cum să mergi*

Thich Nhat Hanh, *Cum să mănânci*

Tara Brach, *Acceptarea necondiționată*

Pico Iyer, *Calea deschisă.*
O călătorie alături de Dalai Lama

Corinne Sweet, *Jurnal de mindfulness*

Tara Brach, *Adevăratul refugiu*

Thich Nhat Hanh, *Cum să stai așezat*

Thupten Jinpa, *O inimă neînfricată.*
Cum ne poate transforma viețile
curajul de a manifesta compasiune

Mahatma Gandhi, *Calea spre Dumnezeu*

Pema Chödrön, *Când totul se prăbușește în jurul tău. Cum să facem față fricii, disperării, furiei și sentimentului de neputință*

Osho, *Curajul. Bucuria de a trăi periculos*

Osho, *Maturitatea. Responsabilitatea de a fi tu însuți*

Osho, *Trăiește periculos. Iluminare obişnuită pentru vremuri neobişnuite*

Osho, *Inteligența. Reacționează creativ la prezent*

Michael Puett, Christine Gross-Loh, *Calea. Secretele celor mai mari filosofi chinezi pentru o viață mai bună*

Desmond M. Tutu, Mpho A. Tutu, *Cartea iertării*

Dr. Robert Butera, Erin Byron, dr. Staffan Elgelid, *Terapia prin yoga pentru combaterea stresului și anxietății*

În pregătire:

Bob Roth, Kevin Carr O'Leary, *Meditația Transcendentală. Metoda de calmare a minții care îți va schimba viața*

Colecția **Psihologie**

Au apărut:

Richard E. Nisbett, *Mindware. Instrumente pentru o gândire inteligentă*

Henry Marsh, *Să nu faci rău. Povești despre viață, moarte și operații pe creier*

Dr. Paul Dolan, *Rețeta fericirii*

Dr. Alice Boyes, *Cum să scapi de anxietate*

V.S. Ramachandran, *Ce ne spune creierul*

Gavin De Becker, *Darul fricii. Cum ne apără intuiția de violență*

Dr. Daniel G. Amen, Tana Amen, *Puterea creierului*

Ichiro Kishimi, Fumitake Koga, *Curajul de a nu fi pe placul celorlalți*

Boris Cyrulnik, *Psihoterapia lui Dumnezeu*

Robin Norwood, *Femei care iubesc prea mult*, ediția a II-a

Dr. Tim Cantopher, *Cum să facem față persoanelor toxice*

În pregătire:

Elaine N. Aron, *Persoanele hipersensibile*

Boris Cyrulnik, *Să vorbim despre dragoste de pe marginea prăpastiei*